COMPRENDS-TU ÇA LAURETTE ?

Cécile Hélie-Hamel

Comprends-tu ça Laurette ?

roman

Les éditions du Septentrion remercient le Conseil des Arts du Canada et la Société de développement des entreprises culturelles du Québec (SODEC) pour le soutien accordé à leur programme d'édition, ainsi que le gouvernement du Québec pour son Programme de crédit d'impôt pour l'édition de livres. Nous reconnaissons également l'aide financière du gouvernement du Canada par l'entremise du Programme d'aide au développement de l'industrie de l'édition (PADIÉ) pour nos activités d'édition.

Révision : Julie Malouin
Correction d'épreuves : France Brûlé
Mise en pages et couverture : Pierre-Louis Cauchon
L'illustration de l'intérieur de la couverture est tirée de l'ouvrage *Cronica de las Indias* de Gonzalo Fernandez de Oviedo, publié en 1547.

La dénomination de Macamic a été retenue en 1961. Auparavant, elle était fréquemment orthographiée Makamik.

Si vous désirez être tenu au courant des publications
de la COLLECTION HAMAC et des ÉDITIONS DU SEPTENTRION
vous pouvez nous écrire au
1300, av. Maguire, Québec (Sillery) Québec G1T 1Z3
ou par télécopieur (418) 527-4978
ou consulter notre catalogue sur
www.hamac.qc.ca ou www.septentrion.qc.ca

1300, avenue Maguire
Québec (Sillery) Québec
G1T 1Z3

Dépôt légal :
Bibliothèque et Archives
nationales du Québec, 2007
ISBN 10 : 2-89448-500-X
ISBN 13 : 978-2-89448-500-2

Diffusion au Canada :
Diffusion Dimedia
539, boul. Lebeau
Saint-Laurent (Québec)
H4N 1S2

Ventes en Europe :
Distribution du Nouveau Monde
30, rue Gay-Lussac
75005 Paris
France

Chapitre I
Réminiscences

On avait pris, d'un commun accord, au souper, la décision de ne pas veiller toute la nuit. Il valait mieux refaire ses forces, puisque le temps s'était pour elle arrêté à tout jamais. La famille l'avait déjà tellement veillée afin d'atténuer, si possible, ses énormes souffrances, ne fût-ce que par une caresse du regard.

Le froid et l'arrêt des tramways firent en sorte que la maison se vida tôt en cette deuxième nuit de veille. Comme il avait été convenu au premier retentissement du carillon des douze coups de minuit, une vieille tante alla placer une bougie près de la tête de la défunte en guise de veilleuse pour les prochaines heures. Le père souffla prestement sur la flamme de la lampe déposée en début de soirée sur une petite table près de lui, indiquant la fin de la veillée funèbre. Il était temps d'aller dormir. Au moment de quitter le salon utilisé, pour l'occasion, comme pièce mortuaire, Laurette jeta un dernier regard sur sa mère. Elle sursauta en voyant la flamme valser, qui donnait une étrange luminosité au visage fortement ciré de sa mère.

— C'est juste le vent qui passe par le cadrage de la fenêtre ! s'exclama le père. Si j'avais de l'aide aussi, ça fait deux jours que votre mère est sur les planches pis on n'a même pas encore vu Roland !

Personne n'osa ajouter un mot: la pertinente remarque tombait juste, il était préférable de ne pas alimenter le feu qui tenaillait le père. Chacun des occupants et visiteurs de la maison se dirigea avec empressement vers son lit désigné pour la nuit.

Les va-et-vient de la journée glaciale de ce 24 janvier 1925 avaient permis plus que jamais au froid de s'infiltrer dans cette maison encore mal isolée. Laurette se pressa de revêtir sa grosse jaquette de flanelle, de souffler la lampe et de s'emmitoufler au milieu des draps pour ensuite se blottir contre sa jeune sœur Georgette. Cette dernière s'était endormie au milieu de la soirée, assise sur une chaise dans la cuisine près du poêle à bois, en regardant le profil de sa mère et donnant l'impression de la bouder. Une vieille tante l'avait ensuite prise dans ses bras avec autant de tendresse que de pitié pour la transporter dans son lit.

En se pressant contre sa jeune sœur, Laurette réalisa que c'était indiscutablement celle qui avait le plus perdu, et dont on s'occupait probablement le moins. Ayant depuis toujours une peur bleue des morts, Laurette ne se sentait pas tout à fait en confiance.

Elle sollicita l'abandon dans la prière, mais le bruit des clous cédant sous la pression du froid retardait son sommeil, et l'épuisement des derniers jours la fit errer entre la réalité et l'imaginaire. Sortant soudainement d'un demi-sommeil, Laurette eut l'impression de sentir la présence de sa mère dans la pièce. Elle frissonna et se recroquevilla davantage, le temps de se ressaisir. C'était idiot d'avoir peur! S'il s'agissait de sa mère, elle ne pouvait venir que pour l'encourager, la bercer, la consoler et l'aider à éloigner d'elle les multiples questions demeurées en suspens. Le fait que Dieu soit au centre de notre vie n'abolit pas les obstacles.

Dans le méli-mélo de sa vie, elle devait maintenant se résoudre à la perte définitive de sa mère. La mort est normale, puisqu'elle fait partie de la vie, mais pourquoi si tôt et avec autant de souffrances? se demandait-elle. Ce destin, qu'elle voyait dépourvu de sens logique, lui donnait presque envie de tout remettre en question. Mais Laurette n'avait pas été éduquée à la rébellion, et les valeurs qui cheminaient en elle l'incitèrent à la tolérance.

Souvenons-nous qu'à cette époque, les gens croyaient justifiées, voire méritées, les embûches que la vie semblait parfois s'amuser à mettre sur notre route. Pour Laurette, cette croyance était inconcevable: ce karma ne pouvait pas être celui de sa mère. Au regard de cette réalité qui nous mènera tous un jour ou l'autre vers le jardin d'Éden, elle souhaita que, son heure venue, les choses se passent plus vite.

Dans la tiédeur d'un lit trop humide pour lui permettre rapidement de s'endormir, elle laissa son esprit vagabonder sur son passé, et sur ce que la vie, sans son véritable consentement, semblait lui imposer au regard de sa famille. Rien n'était plus important, du moins pour l'instant.

Pauvre maman, pensa-t-elle, la vie ne t'a pas épargnée avec tes dix grossesses. Je me demande comment tu as pu faire pour passer à travers la mort de cinq enfants en moins de dix ans, sans compter toutes les fausses couches ! La mortalité infantile semblait tellement normale autour de nous et un peu partout que c'en était presque banal, tout pouvait devenir mortel : la varicelle, la grippe, la rougeole. Je me souviendrai toujours du jour où l'on a retrouvé deux de mes frères sans vie dans leur berceau, mordus par des rats. Je pense qu'à partir de ce jour, tu as toujours oscillé entre ce souvenir et les rires du présent. Je sais aujourd'hui qu'une partie de toi s'est perdue avec la mort de chacun d'eux, sans qu'on parvienne et même, peut-être, essaye véritablement de te consoler. C'est vrai que nous étions aussi dépassés par toutes les tragédies qui s'additionnaient année après année. Je pense aussi que, comme tous les enfants, nous vivions en fonction de notre avenir, de notre histoire qui ne pouvait qu'être bien différente !

Quand je regarde ta vie, je me dis que je peux bien avoir de la difficulté à me brancher : le mariage n'a vraiment rien d'une sinécure pour la femme, puisque toute la maisonnée repose sur elle. Mais sur qui, elle, se repose-t-elle ? Ah oui ! C'est vrai, j'allais l'oublier : sur la religion !

Me voilà avec la quasi pleine responsabilité de la maison, je vais devoir apprendre à tirer mon épingle du jeu comme on dit, au fond ça va probablement m'être salutaire de ne pas avoir trop de temps pour penser à mes histoires. Je me demande où la vie va finir par me conduire. J'ai de nombreux amis, mais pas d'amoureux, alors que toutes les filles de mon âge semblent avoir une vie amoureuse ! Je suis devenue avec le temps celle qui console, et qui semble n'avoir besoin de rien. J'ai l'impression que personne ne voit ma réalité, ça vient peut-être de la carapace de protection que je me suis faite ! Je me demande parfois si je ne me suis pas perdue dans mes propres règles de vie. On m'admire comme confidente et amie, mais de ma sensibilité et de l'être réelle que je suis, on semble ne rien voir.

Dans l'épuisement, le sommeil vint finalement à la rescousse de Laurette, mais elle n'échappa point à la grisaille de la réalité. Son imagination l'amena dans le passé : elle huma d'abord l'odeur venant des grands champs de tabac puis, l'instant d'après, revit son père travaillant à la fabrication de petites tombes. Elle fut alors prise dans une espèce de cascade où l'imaginaire faisant corps avec la réalité conduit à une espèce d'abîme, tant et si bien qu'on ne sait plus lequel mène l'autre. Les odeurs de fièvre et de parfum vinrent choquer son odorat, l'amenant à revivre le destin tragique de nombre des siens, morts avant d'avoir véritablement commencé à vivre. Et dans une espèce d'enchevêtrement, elle sentit la douleur de sa mère s'entremêler à la sienne.

Malgré le froid, elle s'éveilla en sueur, le temps de se demander comment sa mère avait pu survivre à autant de misères. À peine rendormie, elle se revit faisant des boîtes tantôt à Shawinigan, tantôt à Berthier, décidant d'abandonner telles ou telles choses ou n'ayant pas le choix de le faire : les appartements montréalais n'offraient pas grand rangement. L'odeur de craie fit frissonner la petite institutrice de campagne, qui était obligée d'abandonner sa classe : ses élèves ! Si elle avait été un garçon, cela aurait pu être différent, bien différent ! C'était l'époque : le père décidait, et la famille sans dire un mot paquetait, et ficelait les boîtes ! Elle s'était finalement consolée en se disant que la grande ville semblait synonyme de bonheur.

Dès l'arrivée de la famille au 567, rue Joliette à Montréal, en cette année 1919, la vie changea de rythme. Le père fut immédiatement embauché pour travailler à la fabrication d'obus : il fallait répondre à la demande, et elle était grande ! Tandis que les manufactures ouvraient leurs portes aux jeunes filles désireuses d'avoir un emploi dans le textile. C'est ainsi que la facilité d'adaptation de Laurette l'amena à se diriger vers la couture. À cette époque, les papiers ne pesaient pas lourd ! Il suffisait souvent de vouloir et d'avoir du cœur au ventre pour que, dans bien des cas, les aptitudes se développent rapidement.

Après quelques semaines, par un beau dimanche après-midi, Laurette fit la rencontre de son premier véritable cavalier sur une patinoire publique. Il travaillait dans une manufacture tout comme elle. Son enthousiasme s'estompa malheureusement très vite en découvrant que ce dernier avait une mère, et que cette dernière avait pour son fils de plus grandes visées qu'une fille de campagne. Le temps et le fait que le jeune frère de Laurette se dirigeait vers la vie ecclésiastique arrangèrent les choses. C'est ainsi que quelques mois plus tard, on commença à parler mariage. Laurette parvint, petit à petit, à obtenir la permission de son père de garder une plus grande partie de ses gages afin de confectionner son trousseau.

Généralement, les jeunes filles n'attendaient pas d'avoir trouvé le prince charmant pour entreprendre leur trousseau. Elle devait être prête, on ne savait jamais à quel moment cupidon, ou la raison pour les moins jolies, allait se présenter ! La confection du trousseau pouvait parfois s'étaler sur des années et il devait contenir tout ce dont une famille avait besoin. La valeur d'une fille a souvent été considérée selon l'avoir de son trousseau. En campagne, il n'était pas rare de voir une fille recevoir de son père en guise de dot : vaches, porcs, chevaux, poules, et parfois lopin de terre. Pas surprenant qu'un grand nombre de filles soient, malgré elles, demeurées célibataires. Les trop nombreux décès en couches (lors d'un accouchement) donnaient une certaine chance aux filles sans véritable dot.

Comme la majorité des filles, Laurette débuta par la broderie d'une taie d'oreiller cousue dans un beau tissu en coton acheté au magasin de coupons. Ce n'était pas tellement la coutume ! Les poches de sucre et de farine faisaient l'affaire pour la majorité des gens. Mais il fallait pratiquement s'user les paumes sur la planche à laver, à frotter et à javelliser, pour essayer de faire disparaître tant soit peu les fameux logos, surtout les rouges. Comme pratiquement toutes les familles boulangeaient, pas un ménage ne manquait de taies d'oreiller, de linges à vaisselle ou de couches pour les futurs bébés.

On devait d'abord trouver le motif qui nous faisait rêver, ce dernier se vendait surtout dans les magasins de coupons ou ce qu'on appelait alors les 5-10-15. Selon ce qu'on cherchait, chaque enveloppe contenait le nécessaire : pour la literie, par exemple, deux taies d'oreiller et un drap, et pour la table, des nappes et des napperons. L'identification des mouchoirs avait beaucoup d'importance. On pouvait aussi imaginer son propre dessin et le copier avec un papier-calque d'imprimerie: il s'agissait d'un motif pointillé de diverses couleurs fait sur du papier de soie, qu'on transférait sur le tissu à l'aide d'un fer à repasser chaud. Il ne restait plus qu'à le broder avec du fil spécialement conçu pour la broderie, en utilisant un cerceau pour tenir le tissu sous tension.

Lorsque l'immense vague de grippe espagnole déferla sur Montréal, celle qui fut nommée la grande tueuse entraîna, dans presque chaque famille, d'une à souvent plusieurs personnes dans la mort. Sur son passage, Laurette fut sérieusement atteinte: une forte fièvre la fit d'abord délirer, puis elle sombra dans un léger coma. Après quelques jours, elle refit tout doucement surface pour le grand bonheur des siens. Elle ne tarda cependant pas à s'inquiéter de l'absence de son ami, obligeant par le fait même sa mère à lui dire qu'il était venu reprendre les cadeaux qu'il lui avait offerts. Stupéfaite, elle remarqua qu'elle ne portait plus sa bague de fiançailles.

— Sa mère craint que tu gardes des séquelles. Elle a peur pour la santé des enfants à venir. Rassure-toi, le docteur dit que ça veut absolument rien dire!

En apprenant cette nouvelle, Laurette éclata en sanglots.

— Ma fille, la plupart des hommes sont de grands enfants qui se laissent mener par le bout du nez! Y suffit souvent juste d'avoir l'étoffe pour le faire! Sache bien que les larmes ne touchent pas la majorité des hommes. Si tu tiens à lui, gaspille pas tes énergies! Refais tes forces! Ensuite, tu pourras retourner sur le marché du travail. Comme ça, tu vas leur montrer que t'es toujours bel et bien vivante. Je vais aller te faire un bon bouillon de poulet.

Laurette ne pouvait pas comprendre qu'après lui avoir offert de partager sa vie, il puisse l'avoir abandonné dans une telle période. Elle se sentait dépassée par la réalité. Et sa peine l'amena à se cloîtrer dans une espèce de mutisme; elle y demeura des journées entières. Sa sœur aînée, qui manquait rarement une occasion de diminuer les autres, comme si elle avait pu, par ce fait, se grandir, se mit à raconter que sa sœur avait perdu la raison ! Il faut savoir qu'à cette époque la dépression ne recevait qu'un seul verdict : la folie. Tout comme pour une peine d'amour, cela ne méritait guère qu'on s'y arrête très longtemps.

Le temps apaisa tout doucement la peine et l'humiliation de l'abandon, l'aidant par le fait même à remonter autant physiquement que psychologiquement la côte. Une fois de plus, on refit des boîtes, car le père, privé d'un salaire, avait décidé avec sa femme de déménager dans une plus modeste demeure, mettant par le fait même une plus grande distance entre Laurette et son ancien prétendant. Ils savaient qu'en amour, les gens retournent rarement en arrière.

Quelques semaines plus tard, comme cela était convenu depuis plus d'un an, Olympe, la sœur aînée, se maria. Et Laurette se vit un peu dans l'obligation de se chercher un emploi, même si elle n'avait pas encore retrouvé toutes ses forces. Elle fut embauchée dans la première manufacture où elle alla offrir ses services. Tenant compte de sa santé, elle demanda à ses nouveaux employeurs la permission de travailler à la pièce plutôt qu'à la chaîne. On hésita à peine quelques secondes à cette demande assez inusitée, car cette dernière exigeait à la fois connaissance et débrouillardise à toute épreuve. Devant autant d'audace, ils acceptèrent : cela pouvait un jour ou l'autre servir la maison.

— Au fond, c'est toi qui risques d'être perdante. J'ignore si tu en es consciente, lui fit remarquer un de ses nouveaux employeurs.

Laurette savait ce qu'elle faisait, mais pour elle, c'était la seule solution acceptable et véritablement juste, autant pour l'un que pour l'autre.

— Ma femme se cherche justement une couturière personnelle, ajouta un autre avec ironie. Si vous êtes aussi adroite que sûre de vous-même, vous allez pouvoir arrondir vos fins de mois.

Comme Laurette était payée à la pièce, elle travaillait souvent des heures pendant ses temps libres afin de satisfaire certaines dames qui passaient leurs commandes à la dernière minute. Elle connut par le fait même le gratifiant plaisir du pourboire, et l'argent supplémentaire lui permit de s'offrir les coupons désirés pour elle ou pour un des siens. Elle se trouva alors une nouvelle raison de vivre, celle d'être vêtue à la toute dernière mode avec ses propres créations! Le milieu ne tarda pas à découvrir ses talents de créatrice, et son don de modéliste lui permit rapidement de voir nombre de bourgeoises porter ses modèles, dont la femme d'un des grands administrateurs de la maison Dupuis et Frères.

D'une confidence à l'autre dans la pièce d'essayage, on décida de lui trouver un bon parti. C'était un peu la mode du temps que de jouer aux marieuses (entremetteuses). Le célibat pour une fille n'était pas bien vu: elle se mariait ou entrait en religion. Mais pour le moment présent, Laurette n'avait envie ni de l'un ni de l'autre! Elle avait décidé de mettre l'amour à l'arrière-plan, tout au moins pour quelque temps. Il lui semblait pour l'instant plus important de parfaire son étude de l'anglais, surtout celui des affaires du grand Montréal! Sa facilité à apprendre les langues la conduisit même à faire une petite incursion vers la langue latine. Ce qui n'était pas très courant: l'étude de cette langue étant surtout réservée à une élite bien particulière. D'une espèce de marginalité à une autre, Laurette se découvrit une véritable passion pour la politique et les sports. L'amour en veilleuse et le plaisir de découvrir tout ce dont elle n'avait même pas soupçonné l'existence lui firent prendre conscience de sa propre valeur, et elle devint par le fait même, plus exigeante devant un possible amour. Puis un jour, ce fut la capitulation. Elle remarqua sa distinction, son aisance, son charme, sa simplicité, sa belle auto, sa grandeur d'âme, sa dignité et, parmi tout ça, de flamboyantes origines. Un fils à papa! Elle vit en lui le rêve de toutes les filles: la possibilité de devenir un jour la femme d'un futur millionnaire travaillant à bâtir une vie de facilité.

Il lui ouvrit rapidement les portes de la luxueuse maison Morgan à titre de modéliste. Ce fut le début d'un véritable conte de fées. Le temps aidant, elle oublia que l'amour pouvait faire mal. De nouveau, elle goûta au plaisir de se fermer les yeux le soir venu en se disant qu'au même moment, une autre personne se laissait bercer au même rythme qu'elle.

Entre-temps, moralement soutenu par sa sœur, Roland, malgré ses treize ans, entra au pensionnat. Il suivait les traces de son idole : le frère André ! Les pourparlers et les grincements de dents du père, qui nourrissait comme tous les parents de l'époque l'espoir d'avoir donné le jour à un curé, pas à un frère, même de Sainte-Croix, furent vains. La mère, semblable à la majorité des femmes du temps, était demeurée silencieuse tout au long des débats. Il faut aussi dire qu'elle n'avait plus les forces nécessaires pour affronter son mari dans ce débat jugé d'hommes !

Lorsque Roland fit sa valise, Laurette était près de lui. Sans pouvoir dire pourquoi, elle admirait sa sérénité : cette espèce de facilité à se détacher du présent faisant corps autour de nous. Elle se demandait bien comment il pouvait déjà prendre sa destinée en mains avec autant de confiance, alors qu'elle doutait et pesait si souvent le pour et le contre ! En le voyant fièrement vêtu des derniers pantalons qu'elle lui avait confectionnés, une étrange sensation de joie et de peine s'enchevêtra en elle.

— J'aurais dû t'en faire d'autres !

— Voyons donc ! C'est à croire que tu passais tes journées les bras croisés ! Je suis aussi bien habillé que tous les autres ti-gars du quartier. J'ai toujours eu plus que l'essentiel, dans bien des cas surtout grâce à toi ! Merci.

— Je regrette de pas t'avoir donné plus de temps ces dernières semaines.

— Pas de regrets, t'as été une bonne grande sœur. J'te remercie encore une fois, pour tout c'que t'as fait pour moi. Au fait, penses-tu encore à ton beau monsieur Mongeau ?

— Ah non ! C'est du passé ! J'me demande c'que j'pouvais bien lui trouver ! Y m'aura appris l'humilité, et fait perdre une bonne partie de ma naïveté : sans lui, je serais probablement pas devenue la moitié de ce que je suis aujourd'hui ! C'est fou à dire, mais c'est de même !

— Il t'aura donc apporté quelque chose ! On appelle ça le retour des choses.

— Tu me fais rire toi, avec tes grandes théories philosophiques !

— Le vieux frère Onil du collège nous répète continuellement que tout ce qui nous arrive nous fait grandir. À l'écouter se répéter, c'est rendu que j'peux pratiquement t'épater ! dit-il en riant.

Laurette faisait ses adieux à son petit chouchou de frère. Elle savait qu'il allait lui manquer, mais dans la mentalité des femmes de ce siècle, elle ne le laissa pas paraître. Dans la cuisine, sa mère, impassible, déplaçait les fruits dans le grand bol ornemental mis en évidence au centre de la table ou redressait un cadre, puis un autre. Elle aidait le temps à passer en ce jour particulier, alors qu'elle aurait tellement voulu pouvoir l'arrêter. Elle attendait paisiblement la venue du religieux qui allait en quelque sorte lui enlever son fils, son petit Roland. Elle aurait aimé pouvoir le prendre dans ses bras, lui dire qu'elle l'aimait, et que dans son cœur il allait toujours demeurer près d'elle. Mais il lui semblait qu'elle ne devait pas le faire : les sensibleries féminines n'avaient pas leur place. Elle savait pourtant qu'une fois la porte passée, elle perdrait sur lui toute autorité. Elle savait aussi que la mort viendrait la chercher avant qu'il ne puisse revenir librement lui rendre visite, en tant que religieux. Elle le donnait à Dieu ! C'était sa force, une fierté que bien des femmes auraient aimé pouvoir partager, sans en connaître véritablement le prix. Pour le père, ce départ signifiait une bouche de moins à nourrir, mais surtout un rêve qui s'envolait, celui d'avoir engendré un vrai religieux : un prêtre. Il ne restait plus que Gérard, un enfant turbulent de douze ans qui reluquait déjà les filles... C'était peine perdue !

Au moment du départ, sans même réaliser l'absurde de la chose, à l'exemple du religieux venu le chercher, Roland tendit la main à chacun des siens. Il allait vers Dieu !

— Tu peux embrasser ta mère, lui dit le vieux religieux.

Sans cette permission, elle aurait probablement pleuré toute la nuit : il marchait vers sa sainte mère l'Église catholique, prêt à effleurer des lèvres des centaines de fois la couverture de son beau missel flambant neuf, mais sa véritable mère faisait déjà ironiquement partie du passé. Le cordon ombilical n'existait plus, il était devenu un homme avec l'ironique froideur de son époque.

Peu de temps après son départ, son père, qui avait toujours un peu la bougeotte, décida de se construire une maison à Montréal-Nord.

Les amours de Laurette se poursuivaient, et elle était heureuse. Son élégance naturelle et ses fabuleuses toilettes firent d'eux un couple fort envié dans le riche cercle de mondanités qu'ils fréquentaient. L'annonce de leurs fiançailles se fit avec faste. Laurette se mit alors en quête des plus beaux brocarts et fines dentelles, rien n'était trop beau ! Mais tenant compte de l'état de santé chancelant de la mère de Laurette, ils optèrent pour un mariage dans la simplicité.

Après avoir trouvé l'appartement idéal pour leurs besoins, et ne voulant pas prendre le risque de le perdre, Laurette regarda, émerveillée, son fiancé signer le bail. À compter de ce jour, ils se mirent à la recherche de meubles qu'ils accumulèrent les uns après les autres. Et ayant obtenu, entre-temps, le privilège d'acheter la maison où se trouvait l'appartement, il reporta en septembre le mariage qui devait avoir lieu en juin. Cette attente devait lui permettre de redresser ses finances, tandis qu'elle donnerait plus de temps à sa mère.

Laurette, qui n'avait jamais véritablement cessé de travailler à remplir ses coffres, et qui s'était au cours des dernières années souvent permis d'acheter des choses qu'elle trouvait jolies et ordinairement faites à la main, se remit à la fine broderie pour faire plaisir à sa mère. Cette dernière ne pouvait concevoir un mariage sans un trousseau fait quasi à la main. Laurette se tailla aussi un couvre-pieds à l'aide d'un motif fort complexe intitulé *Le chemin des ivrognes*. Durant ce temps, son fiancé en profita pour retourner à sa grande passion : le jeu. Profitant du fait que Laurette devait passer de plus en plus de temps auprès de sa mère, et à la fabrication de son trousseau pour faire plaisir à cette dernière, il se remit à passer la majeure partie de son temps à jouer aux cartes avec de grands joueurs dans une petite pièce de différents hôtels.

Un samedi, il se présenta avec près d'une heure de retard, prétextant s'être attardé dans les livres de la compagnie. La scène se répéta et, de nouveau, il lui annonça que le mariage devait être retardé. Il jugeait inconcevable de se marier alors que la santé de la mère de Laurette se détériorait de jour en jour. Laurette ne pouvait pas être véritablement contre cette idée, mais il lui semblait que ce retard cachait autre chose. Devant l'insistance des deux femmes, qui souhaitaient malgré les circonstances que le mariage soit célébré sans plus attendre, il prétexta avoir besoin de temps pour la compagnie.

— Je trouve que tu as bien changé depuis quelque temps. Je n'ai aucune idée de ce que tu peux me cacher, mais je veux la vérité.

— La vérité, c'est que je ne possède plus rien. J'ai joué aux cartes et j'ai perdu ; j'ai voulu une revanche, et j'ai encore perdu.

— T'as perdu quoi ?

— Les meubles.

— Nos meubles ! T'as joué nos meubles ? Dis-moi que j'rêve !

— Écoute, laisse-moi un peu de temps. J'te promets de les regagner, mais pour ça, j'dois apporter d'autres gages. Tu comprends ? En fait, y m'faudrait finir de payer la maison pour la mettre en garantie, tu comprends ?

— Tu ne veux pas dire que tu vas jouer la maison aussitôt qu'elle va être payée ?

— La moitié seulement.

— Je rêve !

— C'est la seule chance que j'ai de pouvoir ravoir nos meubles.

— Mais c'est un véritable cauchemar !

— Fais-moi confiance !

— Comment peux-tu me demander de r'tarder le mariage une autre fois, alors que ma robe est déjà cousue et que mon trousseau est en attente dans le papier bleu depuis des semaines ? Tu ne sembles vraiment pas le voir !

— Je sais que ça doit être difficile à comprendre, mais pour l'instant, j'ai besoin d'argent ! Je te jure qu'ensuite, je jouerai plus jamais aux cartes de ma vie, mais en attendant, j'aurais besoin que tu me donnes ta bague pour garantir la maison.

— C'est pas vrai, tu me demandes ma bague pour la jouer.

— J'dois faire une proposition pour pouvoir jouer samedi prochain.

— Ça veut dire que si tu gagnes samedi, on va ravoir tous nos meubles, notre maison, ma bague ?

— Pas exactement.

— Ça veut dire quoi ? Pas exactement !

— Le mobilier de salon est définitivement perdu, mais inquiète-toi pas, j'vais racheter exactement la même chose. Le propriétaire du magasin de meubles va nous le commander aussitôt qu'y va avoir l'argent nécessaire pour le dépôt.

— Tiens, voilà ta bague ! Tu peux partir ! Pour l'instant, j'ai besoin de réfléchir. Bonne chance ! lui dit-elle en pleurant.

Le lendemain, comme le voulait le courant religieux de l'époque, Laurette alla rencontrer le curé de la paroisse. Ce dernier lui conseilla de rompre ses fiançailles car, selon lui, les fréquentations s'étaient déjà trop éternisées.

— Un joueur, ça reste toujours un joueur !

Ne sachant plus trop à quel saint se vouer, elle alla rencontrer une diseuse de bonne aventure.

— Je vous vois dans le carreau d'une fenêtre les yeux rivés au loin, et je lis sur votre visage le désarroi d'une situation qui ne finira jamais. Il y a aussi un autre chemin : celui-là, il est rempli de joie, de tendresse et d'amour. J'en vois même un troisième, mais il est très court : comme un temps d'arrêt, de réflexion. Je vois que vous êtes un être créatif, cela vous soutiendra toute votre vie, vous saurez par conséquent passer à travers des situations insoutenables pour bien des gens. Qu'importe où vous irez, votre force intérieure et votre foi vous aideront à toujours mettre de la joie autour de vous.

Et Laurette lui fit part de ce qu'elle vivait dans le présent.

— Vous seriez donc, probablement, dans votre temps de réflexion. Je ne peux pas vous dire de lui pardonner. J'ignore si cet homme fait partie du premier ou du deuxième chemin. Vous êtes une modéliste ! Et dans chacun de vos chemins, il y a de la création, même dans votre temps d'arrêt !

— Je travaille en ce moment à la broderie d'un ensemble de draps, j'ai aussi un couvre-lit en chantier.

Elles échangèrent un sourire.

— Les créateurs sont des personnes difficiles à tirer aux cartes.

— Je n'ai pas l'impression d'être une grande créatrice.

— Serait-il possible que vous soyez sévère envers vous-même ?

— Probablement.

— En tout cas, le potentiel est bien réel ! Au fait, j'utilise des cartes, mais c'est pas dans elles que je vois le carreau de la fenêtre, mais à côté de vous. Cela signifie que vous avez la possibilité de passer à côté. Alors que la création, c'est en vous que j'la vois. Elle me semble un instant gigantesque puis, l'instant d'après, comme bâillonnée par diverses choses. J'ai très peur que vous preniez la mauvaise route. J'aimerais mieux qu'on arrête pour aujourd'hui!

— J'ai pas d'objection.

Laurette aimait son fiancé, et l'envie du pardon était fortement présente dans sa tête et son cœur. Le prêtre et la diseuse de bonne aventure n'avaient réussi qu'à l'embrouiller un peu plus. Finalement, le vendredi, à la sortie de son travail, elle lui annonça que tout était terminé.

— Je ne veux pas vivre toute ma vie dans l'attente et la crainte que tu recommences à jouer. Chaque fois que tu s'ras en retard, la peur et l'angoisse m'étreindront. Je t'aime et je t'aimerai probablement toute ma vie, mais j'veux pas aller vers autant d'incertitude. J'te souhaite de regagner c'que t'as perdu, mais en ce qui me concerne, c'est quelque chose de perdu pour toujours. J'ignore si tu peux le comprendre, mais pour moi, c'était plus que de l'argent: c'était des heures en tête-à-tête avec toi. Il est possible que dans quelques mois, je pense différemment, mais pour l'instant, c'est fini.

Il se savait en tort, et il savait aussi qu'elle avait raison, ce n'était pas la première fois qu'il retombait. Il jura de ne plus jamais recommencer, mais la peur fit reculer Laurette.

Elle donna sa démission peu de temps après, la santé de sa mère exigeait une aide constante, et elle n'arrivait plus à remonter la côte psychologiquement. Elle apprit qu'en voulant doubler la mise de sa bague, il l'avait perdue. Par la suite, elle demanda à sa copine de ne plus rien lui dire concernant son ancien cavalier. Et elle pleura à la fois sur la mort de sa mère qui, inévitablement, ne cessait d'approcher et sur la fin tragique du grand amour de sa vie.

Consciente que sa mère ne pouvait plus s'en sortir, elle fit son lit en employant sa plus belle literie personnelle et se mit à faire des cadeaux de noces à ses amies à même son trousseau. Quelques semaines plus tard, celui qu'elle aimait toujours vint lui demander d'oublier le passé et de bien vouloir devenir sa femme.

— J'ai racheté une bonne partie de nos meubles. J'aimerais que tu m'accordes ton pardon. Ma famille est prête à passer l'éponge pour une dernière fois. J'te jure que c'est la dernière fois que j'déçois ceux que j'aime. À vingt-six ans, j'dois m'en sortir. J'te promets que j'vais y parvenir.

Orgueilleuse, fatiguée, désabusée, elle refusa en visualisant dans sa tête l'image du carreau de la fenêtre.

Peu de temps après, par un dimanche après-midi, Roland, accompagné d'un de ses supérieurs, alla rendre visite à sa mère, qui avait tenu pour l'occasion à être debout. Devant le spectre de cette dernière, Roland parvint tant bien que mal à cacher ses émotions et le religieux, voyant son embarras, le poussa quelque peu :

— Va jaser avec ton frère et tes sœurs.

Laurette fut heureuse de l'accueillir, mais elle aurait préféré qu'il soit seul pour pouvoir lui parler plus librement, sans témoin.

— On espérait te voir aux fêtes ! lui dit Laurette, alors que le religieux s'entretenait avec ses parents.

— C'est déjà beau que j'sois ici aujourd'hui. Si maman était pas aussi malade, on m'aurait jamais donné la permission de venir la voir.

— Le médecin croit pas qu'elle puisse passer à travers l'hiver. Y a rien à faire.

— On peut juste prier ?

— Oui, c'est pas d'un très grand réconfort.

— Ça dépend comment on voit la prière !

— T'as sans doute raison ! Je vais rester avec elle jusqu'à la fin. On verra ensuite ! Pour l'instant, j'ai donné ma démission à mon employeur, mais mon ancienne patronne continue à m'apporter des petites commandes de finition. Je t'avoue que ça fait mon affaire.

Assis près du poêle à bois, le père conversait avec le religieux, alors que la mère essayait de garder discrètement les yeux sur son fils, assis avec les autres enfants dans un coin de la cuisine. Elle était heureuse de le voir. Même si peu de mots furent échangés entre eux, il était là, et elle devait s'envelopper de sa présence, de son sourire, de ce qu'il représentait à ce moment-là.

Laurette profita d'un court laps de temps en tête-à-tête avec son frère pour lui raconter un peu son histoire.

— Ma grande foi du Seigneur, j'ai l'impression que t'es devenue inconsciente! Tu devrais aller voir dans bible ce qu'on dit de ceux qui veulent connaître leur avenir. De toute façon, le bon Dieu doit savoir c'qui fait! Dis-moi, t'as jamais pensé qu'il attend peut-être autre chose de toi que le mariage pis les enfants?

— Devenir religieuse? Jamais de la vie!

— J'suis sérieux!

— Tu me vois avec la même robe du matin au soir, jour après jour? Imagine qu'après le bénédicité, je leur parlerais de politique, de hockey ou encore mieux de boxe!

— T'as bien raison, une femme avec autant de goût masculin, c'est du jamais vu! Oublie pas qu'en mission, les bonnes sœurs travaillent souvent autant que bien des hommes.

— Quand je regarde tout ce que les femmes doivent faire dans une journée, je me dis que ça peut pas être pire. Mais moi, j'espère retrouver l'amour, fonder une famille et être heureuse, ça fait que tu peux économiser ta salive.

— Au fait, je vais prononcer mes premiers vœux en août, le supérieur a obtenu la dispense. J'aurais aimé l'annoncer à maman, mais le supérieur dit que cette nouvelle lui revient, ça fait que tu feras semblant de l'apprendre. Après avoir lu sur divers pays, j'ai choisi l'Inde.

— Est-ce que la communauté le sait?

— Pas vraiment. De toute façon, j'en ai pour au moins dix ans avant de pouvoir espérer aller à l'étranger.

— Sérieusement, tu sais que parfois je t'envie!

— Je vais finir par te convaincre, lui dit-il avec son petit sourire moqueur. Au fait, en mission, tu pourrais t'habiller en blanc!

— Ah! T'es bien drôle!

Deux semaines plus tard, sa mère mourait d'un chancre au foie, aujourd'hui on dirait probablement un cancer. Elle venait d'avoir cinquante-trois ans. Elle fut, comme la majorité des morts à cette époque, embaumée dans sa chambre et ensuite exposée dans le salon familial. Cette pièce demeurait généralement fermée tout l'hiver, afin d'économiser du chauffage et d'obtenir un certain confort dans les principales pièces.

La première journée fut interminable: un long défilé de visages peu ou pas connus! Des femmes surtout, d'innombrables veuves en quête d'amour prêtent à s'offrir par compassion humanitaire à ce pauvre homme qui se retrouvait avec de jeunes orphelins. On le plaignait. On le félicitait d'avoir un fils en communauté, un peu plus et on aurait envié la défunte pour la place qu'elle devait déjà occuper dans le royaume des cieux.

La nuit fut encore plus longue. D'un chapelet à l'autre, on avalait quelques gorgées de thé, tandis qu'en cachette, un adulte osait de temps à autre fermer les yeux quelques minutes. C'est à croire que la pauvre défunte aurait pu s'en offusquer!

Au petit jour, le rituel liturgique des chapelets recommença, et le même scénario reprit sa cadence, donnant parfois l'impression d'un exorcisme ou d'une ostentation... Heureusement qu'on avait pris la décision de ne pas faire une autre nuit complète de veille. Le signal donné par le père fut reçu avec un certain soulagement.

Trop épuisée pour pouvoir dormir, Laurette se remémora ses amours perdus. Et les odeurs des siens qui appartenaient pourtant au passé vinrent à son insu raviver ses chagrins. Les rires et les larmes de sa vie s'enchevêtraient en de multiples cascades, dans un fluide qui s'évaporait au fil du temps. Laurette se surprit alors à désirer fortement que son ancien amoureux vienne faire une visite de politesse. Elle revivait les heures glorieuses de cet amour, chassant loin d'elle la fin tragique. Inconsciemment, elle aurait aimé pouvoir revenir sur sa décision.

Le lendemain, elle s'informa auprès de sa grande amie afin de savoir si son ancien fiancé avait été mis au courant de la mort de sa mère.

— Oui, il le sait. Il sort avec Louise...

Sur cette information, le silence se fit. Une couronne de fleurs à son nom s'additionna cependant à celles de deux autres manufactures. Il ne vint pas, et Laurette pleura discrètement, les yeux rivés sur les fleurs qu'elle aurait tout à coup voulu voir à double sens.

Le jour des funérailles, le cortège se mit en branle aux vibrations du glas de 9 h. Le froid qui sévissait sur la métropole depuis quelque temps se maintenait toujours. Le père monta avec une vieille tante à bord du corbillard couvert tiré par un cheval noir, tandis que le reste de la famille marchait derrière d'un pas rapide. Il était possible de voir ou d'apercevoir derrière les carreaux des fenêtres, tout au long du parcours, des familles entières. Certains se signaient, d'autres priaient. C'était les mœurs du temps, à travers ce qui ressemblait à une aide morale. Pour d'autres, on cherchait la petite faille qui allait permettre d'alimenter les prochaines conversations : le brassard noir, la voilette, et autres symboles ou signes de deuil.

La procession d'entrée venait à peine de se terminer au rythme de l'orgue lorsque le chœur entonna le *Libera* dans la discordance des sons de toux et des gens qui soufflaient majoritairement dans leurs mains, dans l'espoir de se les réchauffer. C'est alors que Laurette aperçut son jeune frère. Il était là, entouré de religieux, tête baissée, trop en avant pour pouvoir seulement regarder la tombe qui contenait les restes de sa mère. Il priait. Sans doute pour elle ! Pour lui ? Pour la communauté ? Et une fois de plus, elle fut séduite par son détachement, sa capacité à aller au-delà de l'instant présent, tant et si bien qu'une fois de plus, pour un instant, elle envia ce chemin fascinant. Chemin de paix intérieure où une toute-puissance semble nous envelopper dans une espèce d'inconscience utérine.

À la sortie, elle remarqua qu'il était toujours agenouillé, tout comme les religieux qui l'accompagnaient, et elle en fut agacée pour ne pas dire choquée. Mais elle soupira d'aise quelques secondes plus tard en voyant qu'il suivait le cortège en direction du cimetière. De retour à la maison, la famille se hâta de remettre les meubles en place, de fermer le salon afin de garder la chaleur et de voir aux préparatifs du dîner. C'est alors qu'on frappa à la porte.

— C'est Roland ! s'écria sa jeune sœur Georgette.

Il salua son père d'un signe de la tête puis, un peu en retrait, il laissa son supérieur présenter ses condoléances au nom de la communauté. Ce dernier lui assura les prières de la communauté pour le repos de l'âme de sa femme et termina son allocution en disant que c'était sans doute mieux ainsi. Sur ce, chaque membre de la famille fit un signe d'approbation.

Après une certaine hésitation, il accepta l'invitation du père de se joindre à la famille pour le dîner. Et il passa une partie de l'après-midi chez les Boucher, répétant à plusieurs reprises que ce n'était pas la coutume pour un novice d'aller dans sa famille. Cela fit en sorte que Roland, peiné de n'avoir pu voir le corps de sa mère, arriva à se sentir encore chez lui dans l'enceinte de cette demeure qui respirait toujours le parfum de sa mère. Replié sur lui-même pour ne pas faire voir sa douleur et décevoir son supérieur, il faisait siennes toutes les idées de la communauté. Il appartenait à Dieu, à l'auteur de nos vies.

— Au fait, ça va être ta fête en fin de semaine ! s'exclama Laurette au moment de son départ.

Et chacun des siens sur place lui souhaita, malgré tout, un bon anniversaire. Même présente, la mort faisait déjà partie du passé. La routine exigeait ses droits. Il fallait vite reprendre son boulot et ses habitudes quotidiennes. La vie continuait. Il fallait refaire ses forces, et rien ne semblait être mieux qu'une bonne nuit de sommeil. La vaisselle du souper était à peine terminée lorsque le père souhaita une bonne nuit aux siens. Il avait parlé, cela signifiait qu'il était temps d'aller au lit.

La toux sèche de son père réveilla Laurette dès l'aube. L'odeur à la fois désagréable et rassurante de la pipe, qui se faufila en dessous et au-dessus des grosses tentures ceinturant ce qui lui servait de chambre, la sécurisa. Pensive, elle s'étira quelque peu en faisant attention pour ne pas réveiller sa jeune sœur. Il valait mieux attendre sous les couvertures que la chaleur commence à se répandre dans la cuisine.

— Tu boulangeras, Laurette ! lui ordonna en quelque sorte son père en quittant la maison. Celui du boulanger est pas mangeable.

Dans la fatigue et l'humidité d'une journée de lessive et de fournée de pains, Laurette eut soudain l'impression que des odeurs de parfums d'embaumement se faisaient de plus en plus présentes. Dans le silence de la maison, alors que seuls des crépitements de bois brûlant dans le poêle se faisaient entendre, elle s'immobilisa un instant. Puis, se parlant à elle-même comme pour affronter ce qui soudain l'angoissait, elle ouvrit les portes du salon. Elle fut vite ramenée à la réalité : « Mon pain ! », s'écria-t-elle.

La vie reprit rapidement son cours normal, et Laurette, sous le poids de la besogne, s'oublia un peu. Quelques semaines plus tard, le père annonça à la famille qu'il vendait la maison. Il avait trouvé quelque chose de mieux! Peu de temps après, il se mit à s'attarder longuement après la messe dominicale, puis ce fut ses mystérieuses évasions du dimanche après-midi... Lorsqu'il rangea sa cravate noire au fond de la garde-robe, beaucoup trop vite selon la majorité des membres de la famille, il fit part aux siens de son intention de convoler en justes noces.

— J'me suis trouvé une veuve, a-t-il clamé, tout fier de lui.

Par la suite, tout se passa très vite: le mariage, la prise de possession des lieux et les mises au point.

— J'ai pas besoin de ton aide, Laurette, pour tenir la maison! J'pense que t'es assez vieille pour voler de tes propres ailes. Trouve-toé de l'ouvrage! lui dit sa belle-mère.

Laurette tenta alors de rapatrier ses biens afin de faire ses boîtes. Dans un premier temps, elle devait aller chez sa sœur aînée qui, sur le tard de sa vie, était sur le point d'accoucher et avait besoin d'une aide familiale. Réalisant que certains morceaux de vêtements s'étaient volatilisés des armoires, elle en fit part à son père. Et elle lui raconta qu'elle avait souvent vu sa belle-mère quitter la maison avec un paquet sous le bras, au beau milieu de la journée. Il refusa de l'entendre.

— C'est ton imagination! Elle va voir ses enfants, pis tu viendras pas mettre de la brouille dans mon ménage!

Tenant compte du fait que Laurette avait donné en cadeaux de noces deux ou trois morceaux de son trousseau à ses cousines et amies les jours suivant sa dernière séparation, il en conclut qu'elle devait en avoir donné plus qu'elle ne le croyait.

— Au lieu de porter des accusations contre ta mère, tu devrais essayer d'en faire un peu plus pour elle!

— Vous voulez dire ma belle-mère! Elle m'a demandé de partir, a veut pas de mon aide. J'veux juste qu'on me redonne mes affaires pour que j'les range dans mes malles au grenier en attendant de revenir les chercher.

— C'est pas la peine de monter ça au grenier, tu les laisseras dans ta chambre!

⌣

La belle-mère nia tout, et le père se rangea du côté de sa femme, ne laissant ainsi aucune chance à Laurette de récupérer les morceaux volatilisés, et elle quitta la maison avec un maigre sac. Elle passa quelques semaines chez sa sœur aînée puis, le bébé arrivé et les forces revenues, cette dernière l'informa à son tour qu'elle pouvait maintenant se passer de son aide.

— Tu devrais aller offrir tes services à notre cousine Denise. Selon moi, elle est sur le point d'accoucher.

Chapitre II
Sœur Saint-Vital

Un peu perdue dans l'étrange avenue que prenait sa vie, Laurette, contre vents et marées, décida de se remettre à bâtir. Et l'idée de devenir religieuse semée par son jeune frère l'amena à entreprendre des démarches afin de devenir missionnaire de l'Immaculée-Conception.

Auréolée de l'invisible coiffe de la Sainte-Catherine, comme toutes les femmes célibataires de vingt-cinq ans, Laurette devint postulante le 1er mars 1927 à Pont-Viau, Laval. Son noviciat fut difficile, comme tout noviciat, qu'importe le visage qu'il prend : il mène toujours à une certaine perte d'identité et cela ne peut pas être facile. Il ne faut pas oublier que l'entrée en vie religieuse en 1927 ne peut pas être vue de la même façon qu'en 1950, en 1975 ou de nos jours. L'exagération, qui semble peu crédible à l'aurore du XXIe siècle, était pourtant bien réelle. Il s'agit ici de la vie religieuse des femmes, celle des hommes n'ayant jamais pris le même visage. N'oublions pas qu'ils furent les piliers décideurs des siècles précédents !

Pour Laurette, la vie religieuse semblait être la dernière porte qui allait s'ouvrir, et elle n'eut qu'une seule et unique idée : réussir, qu'importe le prix à payer. Sa détermination lui valut malheureusement d'être qualifiée de tête forte. D'une part, on voulait la casser ; d'autre part, Laurette voulait démontrer qu'elle pouvait en prendre ! Elle espérait ainsi, ses derniers vœux prononcés, obtenir rapidement un poste à l'étranger. L'âge étant là, il lui semblait qu'elle n'avait pas de temps à perdre, son côté fonceur la soutenait. Le 11 février 1930, elle prononça ses premiers vœux.

— Dorénavant, vous serez sœur Saint-Vital.

Le côté perfectionniste de Laurette ne resta pas dans l'ombre. Elle prouva à plusieurs occasions qu'elle pouvait tirer le maximum d'une situation. Ce qui lui amena de plus en plus de responsabilités et un certain épuisement.

Une vilaine grippe obligea finalement la supérieure à faire venir le médecin. Ce n'était pas dans les habitudes de la maison, mais les médecines habituelles s'avéraient inutiles et son état se détériorait de jour en jour. Il lui prescrivit un mois de repos, et la supérieure décida de faire retarder sa profession perpétuelle.

À peine remise, on l'envoya aider des consœurs à remettre sur pied un futur couvent. Une fois de plus, elle outrepassa ses forces et fut vite rappelée à Laval. Après quelques jours de repos, on lui confia la tâche de faire les achats de la maison avec une autre religieuse, espérant sans doute que les sorties lui donnent un peu de couleurs. La pâleur semblait être mal vue chez les religieuses, et la supérieure réclamait quelquefois de la cuisinière un usage presque abusif d'un remède naturel. Quoi de mieux que des betteraves pour donner de belles joues roses? Donnant l'impression aux gens d'être en bonne santé, cette coutume, qui n'avait en fait rien de mal, s'est perdue depuis quelques décennies: d'abord pour l'attrait du pâle, et ensuite du basané.

Un jour qu'elle avait les bras chargés, elle tomba en traversant une voie ferrée; sa tête frappa le rail, et elle perdit connaissance pendant quelques secondes. Sa compagne tentait de la ranimer lorsqu'elle vit un train s'approcher. Elle fit des signaux pour le faire arrêter, puis s'éloigna rapidement en se cachant le visage. Le train passé, elle réalisa que Laurette était assise par terre de l'autre côté de la voie ferrée. Ni l'une ni l'autre n'arrivèrent à expliquer réellement l'événement, mais la religieuse qui l'accompagnait se mit à clamer qu'il s'agissait d'un miracle...

Comme Laurette ne parvenait pas à expliquer qui l'avait sortie de cette impasse, et que la supérieure voulait la vérité afin de calmer certains esprits enclins aux miracles, cette aventure causa quelques remous dans la communauté.

— Je vous en prie, ma Mère, je ne peux tout de même pas vous mentir. Je l'ignore. Sans doute un passant trop pressé pour prendre le temps de s'arrêter. C'est sans importance, ma Mère, j'ai à peine une petite bosse en arrière de la tête, mais j'avoue avoir de grosses migraines depuis ce jour.

— Vous ne croyez donc pas que c'est Dieu?

— Non, ma Mère. Il aurait pu le faire, mais je ne suis qu'une simple novice.

— Alors, qui donc l'a fait?

— C'est sûrement moi, ma Mère, mais je ne m'en souviens pas. J'en suis navrée.

— C'est un peu mieux. Nous allons cependant attendre à l'an prochain pour vos prochains vœux. D'ici là, le mystère sera probablement élucidé.

Laurette savait qu'elle ne devait pas tenter d'implorer sa supérieure: l'obéissance et la soumission font partie de la vie religieuse. Quelques jours plus tard, par obédience, elle quitta Laval pour Chicoutimi. Elle accompagnait une religieuse qui avait comme tâche de rendre fonctionnelle une vieille bâtisse pour en faire un nouveau couvent.

Par ce travail, Laurette se retrouva véritablement dans son élément et, même si les journées étaient bien remplies, la métamorphose qu'apportait chaque jour agissait comme une belle journée de printemps.

«J'aurais jamais pensé connaître un jour un aussi grand bonheur, écrivit-elle vers la fin des travaux à son frère Roland. Tu devrais nous voir la coiffe tout de travers! Je compte bien prouver que je suis prête pour les missions étrangères. Pourquoi pas avant toi? Après tout, je suis ton aînée de neuf ans...»

Dans les préparatifs des cérémonies de bénédiction des lieux, la mère générale fit accrocher certaines photos de religieux et religieuses, dont celle de la religieuse responsable des travaux et celle de Laurette, qui n'était qu'une simple novice. Après le départ des derniers invités, la maîtresse des novices donna l'ordre à Laurette d'aller chercher ses effets personnels. Tout était prêt, elle savait que cet ordre allait de soi. De retour à la maison mère, ses supérieures lui firent souvent remarquer son air fatigué puis, quelques semaines plus tard, elle fut convoquée. Laurette s'y rendit avec une certaine euphorie, certaine de ne recevoir que de bonnes nouvelles. Mais la mère supérieure lui annonça que selon la maîtresse des novices, il était préférable qu'elle retourne dans le monde extérieur pour le bien de la communauté. On lui donna comme raison qu'elle risquait, avec les années, de devenir un fardeau pour la communauté.

— Si vous aviez dix ans de moins, ce serait différent ! Vous comprenez ? Vos capacités sont déjà en régression.

— Voyons, ma Mère, vous ne pouvez pas me demander de partir à cause de mon âge ! J'avoue que depuis mon retour, je n'ai pas eu grand-chose à prouver, on ne me demande plus rien ! Je ne me suis jamais sentie aussi inutile, c'est sans doute pour ça que je ne parviens pas à remonter la côte. Je pensais que vous étiez satisfaite, même fière de mon travail. Vous ne l'étiez pas ?

— Là n'est pas la question. Notre communauté n'a pas les moyens de se permettre des fardeaux inutiles.

— Un fardeau inutile ! J'ai probablement travaillé plus que la majorité des autres religieuses.

— Sans doute, probablement trop ! Mais les autres comme vous dites, elles ne sont pas malades !

— Je ne suis pas malade ! Je suis fatiguée. C'est pas la même chose.

— Je ne vois pas tellement de différence. Qui veut aller loin ménage sa monture ! C'est un proverbe qu'il ne suffit pas de connaître.

— Autrement dit, vous me demandez de partir parce que j'ai outrepassé mes forces en voulant faire mes preuves. Il y a probablement aussi un proverbe pour cela, ma Mère !

— Ne nous égarons pas en futiles paroles !

— Ma Mère, je ne veux pas quitter la vie religieuse. Et j'ai aucune idée de l'endroit où je pourrais bien aller, depuis le temps que j'vis en communauté. Je vous en supplie, ma Mère, ne me renvoyez pas !

— Voyons, sœur Saint-Vital, épargnez-moi vos larmoiements, ne perdez pas votre dignité ! La pitié ne prend pas, votre sort n'inquiète nullement la communauté : vous maîtrisez aussi bien votre langue seconde que le français. C'est beaucoup ! Vous pouvez travailler comme réceptionniste ou secrétaire, vous pouvez même reprendre l'enseignement ou la couture. Vous êtes modéliste !

— J'étais, ma Mère, ce n'est pas la même chose.

— Vous nous avez souvent démontré votre facilité d'adaptation.

— Peut-être, mais c'est en communauté que je désire continuer à vivre. J'veux pas me battre à nouveau pour me tailler une place dans le monde de la couture, ni dans la société. Je suis une religieuse, c'est mon choix. J'étais déjà une vieille fille en arrivant ici ! Seigneur, dites-moi que c'est un mauvais rêve ! J'peux même pas espérer avoir un enfant à mon âge ! Ma Mère, ça fait dix ans que je suis ici ! J'considère avoir donné plus que ma part à la communauté, comment est-ce possible que ça puisse ne rien signifier pour vous !

— C'est pas ce que je dis, on a effectivement fait un bon bout de chemin ensemble. Ce fut une erreur, probablement autant pour vous que pour la communauté. Je reconnais aussi que vous n'avez pas beaucoup de chance d'avoir une famille bien à vous à votre âge. Mais les veufs ne manquent pas ! Monseigneur disait l'autre jour qu'ils foisonnent dans toutes les paroisses ! Vous pouvez être utile. Votre cœur a aimé, sœur Saint-Vital, et tôt ou tard, il s'en souviendra ! Je suis consciente que pour l'instant, je vous demande un geste de courage.

— Pas de courage, de folie, ma Mère ! Est-ce que je vous ai déjà donné l'impression de ne pas être heureuse comme novice ? J'ai accepté de voir mes vœux reportés et reportés, encore et encore, sans jamais rien laisser voir de mon désappointement. Je vous devais respect et soumission, et je n'ai jamais manqué ni à l'un ni à l'autre.

— Je sais, mais vous devez penser au bien de la communauté.

— Est-ce qu'elle pense, elle, à mon bien ? Me mettre dehors à mon âge comme si j'étais une moins que rien !

— Elle ne vous met pas dehors, elle vous demande de vous retirer, ce n'est pas la même chose.

— Où est la différence ? J'imagine mon père la tête entre les jambes, sans oublier toutes les commères qui vont se faire un plaisir de le ridiculiser. « Votre fille est sortie de chez les sœurs, on sait bien, ça prend plus que du courage. Juste à la voir, on voyait ben qu'avait pas la vocation ! » Quelle humiliation ! Si seulement je l'avais mérité ! Je pourrais me dire que j'ai eu ce que je méritais, ça s'rait probablement moins douloureux. Comme cadeau pour mes loyaux services, vous me proposez de devenir une défroquée !

— Le terme est fort. Qui le saura? C'est simple, ne le dites pas!

— Juste à l'idée de me retrouver à l'extérieur, j'en tremble!

— C'est normal, je ne vous demande pas de partir aujourd'hui, ni demain. J'vous demande de prendre les dispositions nécessaires, donnez-vous un peu de temps! Faites-vous à l'idée de devoir refaire votre vie.

— Refaire ma vie, vous croyez que c'est simple! Il y a deux possibilités pour les filles: se marier ou entrer en religion. J'me demande bien c'qui me reste dans mon cas, les deux m'ont laissé tomber!

— Une autre communauté vous ouvrira probablement ses portes.

— En venant ici, ma Mère, c'est la vie de missionnaire que je choisissais, pas d'une contemplative: je savais vers quoi j'allais et à quoi je renonçais. Toutes les religieuses ne peuvent pas en dire autant! Les hommes sont d'éternels enfants: avec eux, on ne sait jamais sur quel pied danser. Mon choix a été fait en toute connaissance de cause.

— J'en doute pas, mais faut pas pour autant les juger globalement.

— Et si je refusais de partir?

— Je vous dirais que votre profession perpétuelle aura lieu en février. Mais quand vous gémirez dans la nuit, souvenez-vous d'aujourd'hui: l'homme est souvent l'artisan de son propre malheur. Qu'importe votre décision, j'ai fait déposer du linge dans votre cellule. Je vous demande de le garder, on ne sait jamais! Je pense que vous serez satisfaite. Si certains morceaux ne vous conviennent pas pour une raison ou une autre, revenez me voir, on s'arrangera. Je compte sur votre discrétion devant les autres religieuses. Ici, on ne dit jamais adieu, ni au revoir: l'heure venue, on s'efface en douceur sur la pointe des pieds.

Laurette était loin de s'attendre à une telle nouvelle. D'instinct, elle se dirigea vers la chapelle puis, à quelques pas de la porte, réalisant soudainement le côté irréaliste de son geste, rebroussa chemin. Elle ne vit rien de particulier en entrant, et elle alla s'asseoir sur le bord de son lit afin de finir d'encaisser la mauvaise surprise. Son regard ne tarda pas à se poser sur la porte de sa penderie: tout était là, même l'argent nécessaire pour subsister quelque temps. Pour un instant, toutes les émotions qu'elle avait refoulées vinrent se bousculer dans son esprit. Et comme pour faire disparaître le maléfice, elle referma la porte avec presque autant de violence que de rage! Pour la première fois depuis son arrivée, elle se sentit étrangère en ce lieu. Machinalement, elle se dirigea vers la fenêtre. À l'extérieur, la vie suivait son cours normal: certaines religieuses méditaient, d'autres entraient ou sortaient. Sur leur visage, elles avaient en commun la sérénité que donne la certitude de l'amour. Le mouvement de grâce de leur corps donnait l'impression qu'elles glissaient autant dans les feuilles mortes de l'automne que sur les parquets fraîchement cirés.

Laurette se retrouva soudainement spectatrice d'un environnement qu'on lui demandait de quitter. L'affrontement de cette obligation de devoir une fois de plus tout abandonner lui semblait impossible, et une grande tristesse vint l'envahir corps et âme. «Quand je pense que par peur de la trahison, j'ai renoncé à devenir madame Hervé.»

Perdue dans ses pensées, elle imagina les enfants qui ne seraient jamais les siens. La beauté des feuilles multicolores, qui semblaient virevolter au rythme de l'écho des chants grégoriens qu'elle aimait tant, l'aida à sentir leur absence.

«Où donc est ma place?»

Elle était noyée dans un flot de larmes. Il aurait été difficile de dire si c'était Laurette Boucher ou sœur Saint-Vital qui pleurait, mais cela n'avait pas tellement d'importance.

— Vous venez souper, sœur Saint-Vital? demanda une religieuse en frappant délicatement à sa porte.

— Non! Merci ma sœur. Je ne me sens pas très bien.

— Voulez-vous que je vous accompagne à l'infirmerie?

— Non, non! Merci ma sœur, c'est inutile. Je vais dormir.

La nuit fut une longue et langoureuse danse avec les fantômes du passé et le spectre de son avenir incertain. Le lendemain, la vie reprit son cours normal, comme si l'entretien de la veille n'avait jamais eu lieu. Laurette remarqua cependant l'absence d'une novice.

— Sœur Alexandrine est-elle souffrante? s'informèrent quelques sœurs, sans obtenir de réponse.

Laurette aussi se questionna sur cette absence, elle se garda bien cependant de le verbaliser. Avant de se rendre à sa chambre, elle alla frapper à la porte de la novice : l'absence de réponse ne laissa aucun doute dans son esprit.

Quelques jours plus tard, elle bondit de joie à la demande de se joindre à un groupe pour les préparatifs des fêtes. Son bonheur vint cependant s'assombrir lorsqu'elle réalisa que sa garde-robe comptait de nouveaux vêtements. Une fois de plus, elle décida de ne pas tenir compte de la symbolique. Mais chaque fois que son regard rencontrait celui de ses supérieures, elle se disait qu'elle n'était plus à sa place. Elle savait aussi que d'une certaine façon, elle narguait l'autorité, et qu'elle avait promis respect et obéissance. Un grand voile noir imaginaire vint petit à petit enlever tout éclat aux parcelles de bonheur. Elle connaissait maintenant ce qu'était la souffrance d'un sursis.

Roland lui rendit visite durant la période des fêtes, et il devina sans effort que quelque chose se tramait. Et elle lui raconta son histoire.

— Si j'comprends bien, c'est devenu un jeu de nerfs ! J'ai du mal à en saisir le sens réel. Veux-tu que j'demande à un de mes supérieurs du collège Notre-Dame d'intervenir pour toi ?

— Surtout pas ! J'ai déjà assez de leur tenir tête en continuant comme si la fameuse rencontre avait jamais eu lieu. Laisse-moi te dire, mon frère, que le jeu du silence cache une terrifiante puissance que je n'aurais jamais pu soupçonner ! Mes derniers vœux prononcés, la communauté va sans doute m'envoyer au diable dans un pays de misère, pis j'vais leur montrer c'que j'vaux.

— T'as peut-être raison, mais sais-tu qu'elles peuvent aussi décider que tu ne sortiras pas du Canada ? La guerre que tu livres, c'est un couteau à deux tranchants. La décision te revient, qu'importe ton choix, tu pourras toujours compter sur mon attention et mon aide, selon mes humbles moyens.

L'effervescence des fêtes passée, Laurette sentit plus que jamais le poids des longs silences de la rébellion et de la soumission. Fonceuse de nature, elle trouvait toujours difficile d'être dans l'attente de projets, et comme pour éloigner cette réalité qui se pointait à ce moment de sa vie, elle se tourna davantage vers la prière. Le 11 février 1938, au terme de la dernière retraite menant aux vœux perpétuels, Laurette, cierge en main, alla s'asseoir avec les autres novices dans la grande allée. À la présentation du feu, elle l'alluma à celui d'une consœur, mais au moment d'entrer en procession, elle l'éteignit avec ses doigts, le rangea à l'abri des regards dans sa manche gauche et se dirigea calmement vers la sortie. Inquiète, sa sœur poussa son mari du coude. Roland, stoïquement comme toujours, tenta de les rassurer du regard, mais au moment où l'assemblée se leva, il fit signe à sa sœur et à son beau-frère de sortir avec lui. Une fois à l'extérieur, sa sœur s'exclama :

— On a l'air fin ! Qu'est-ce qu'on fait maintenant ? Peux-tu bien me dire où est passée notre chère petite sœur Saint-Vital ?

— Voyons, ma grande sœur si brillante, t'as pas encore compris ? C'est surprenant !

— J'rêve ! Tu l'savais ?

— Non ! Pas vraiment ! C'est une décision de dernière minute, et on doit la respecter. Pour l'instant, c'est simple, on s'approche de la porte et on l'attend !

— J'ai jamais eu aussi honte de ma vie !

— C'est drôle, dit Roland, mais moi, je ne vois aucune honte là-dedans. Toi, le beau-frère ?

— Moi, je pense que c'est de son affaire, pis qu'on doit respecter sa décision.

— Une chance que pepa est pas venu !

— Les choses auraient peut-être été différentes !

— Veux-tu ben m'dire, mon frère, c'que t'insinues encore ?

— C'est franchement pas le temps de faire un procès, ni de chercher un coupable. En ce moment, c'est d'amour et de compréhension dont notre sœur a besoin, ça fait que malgré tout le respect que j'te dois en tant qu'aînée : change de face !

— Ton frère a raison, si t'as besoin de te r'froidir les idées, viens, on va aller faire réchauffer le char. C'est pas dans mes habitudes de parler, mais là, ma femme, j'te dis tout de suite, j'veux pas que tu lui fasses de reproches. C'est son choix, et on doit le respecter. Compris ! Tu viens ?

— Non ! Je l'attends, répondit-elle.

— Bonne idée, le beau-frère, d'autant plus que c'est pas dit qu'elle va sortir par cette porte.

— Elle va tout de même pas partir d'ici sans rien dire aux autres religieuses ! clama sa sœur.

— C'est effectivement ce qu'elle va faire. Si nous continuons de même, elle va nous filer entre les doigts.

En quittant la chapelle, Laurette se dirigea d'un pas rapide vers sa chambre pour enlever voile, cornette, bonnet, robe et jupon. Nerveusement, elle se passa les mains à la racine des cheveux : il lui semblait qu'elle devait faire vite. Au moment de sortir avec son maigre baluchon à la main, elle jeta un dernier coup d'œil sur les vêtements qu'elle venait d'enlever. Réalisant qu'elle portait toujours son alliance, elle l'enleva et la déposa avec respect sur sa robe avant de refermer doucement la porte derrière elle.

Une vieille religieuse semblant venir de nulle part vint les avertir :

— Elle vient de sortir par la porte arrière. Souhaitez-lui bonne chance au nom de la communauté, et aidez-la ! Elle va en avoir besoin.

— Laurette, bonyenne de bonyenne d'affaire ! Veux-tu ben me dire où tu t'en vas d'même ! cria sa sœur, à la course derrière elle.

— Chez Denise !

— Notre cousine ?

— Oui, chez notre cousine.

— Arrête ! Elle vient de déménager, pis j'ai pas encore sa nouvelle adresse. Embarque pour qu'on fasse de l'air avant de passer pour une gang de fous !

Roland ouvrit la portière arrière de l'auto, fit signe à Laurette d'embarquer et alla s'asseoir à ses côtés. Sans mot dire, elle éclata en sanglots.

— Voulez-vous bien m'dire qu'est-ce qu'elle a à brailler comme une Madeleine ? cria sa sœur, embarrassée au plus haut point.

N'obtenant aucune réponse, elle reprit son discours :

— C'est pas la peine d'me répondre, j'ai l'habitude de parler toute seule !

— Calme-toi, la grande sœur. Essaie de réfléchir au lieu de parler tout le temps comme un moulin à paroles.

— Laurette ! Mouche-toé, pis arrête de brailler comme un veau, ça m'énerve ! Je gage que t'as seulement pas un mouchoir. Tiens ! Prends le mien, pis arrête. C'est fait ! C'est fait, même si j'comprends absolument rien. C'est assez !

— On va lui faire une place à maison pour une secousse, dit-elle à son mari.

Ce dernier lui toucha la main en signe d'approbation, et ils poursuivirent leur route plus calmement. Roland profita de l'accalmie pour offrir à Laurette d'aller voir leur père dès le lendemain.

— On verra. Mais j'y pense, qu'est-ce qu'on va dire aux enfants ? s'inquiéta Laurette.

— La vérité. T'as changé d'idée, dit son beau-frère. C'est vraiment pas la fin du monde.

Chapitre III
Un long voyage

Les circonstances ont donc fait en sorte que Laurette s'est retrouvée chez sa sœur aînée un peu malgré elle.

— Tu peux rester ici en attendant de te retourner de bord, lui avait dit sa sœur.

Repliée sur elle-même, Laurette n'en finissait plus de pleurer, donnant ainsi à sa sœur l'impression d'avoir été chassée du couvent, ce qui n'était pas totalement faux !

— Si tu parlais, Laurette, j'arriverais peut-être à t'comprendre, lui dit sa sœur, d'humeur belliqueuse. On va quand même pas rester d'même des années !

— Non, bien sûr que non. Mais pour l'instant, j'ai pas envie de parler ni d'aller au marché. Essaie d'me comprendre. Sors, toi ! Laisse-moi les enfants, ça va peut-être me permettre d'me sentir utile. Va prendre l'air !

— Laurette, c'est pas en restant dans maison, ni en allant te cacher comme un enfant chaque fois que ça cogne à porte que tu vas t'en sortir.

— Je sais, mais laisse-moi du temps ! Chus pas prête !

Exaspérée par la situation, elle tenta, après quelques jours, de faire le point avec son mari, dans l'intimité.

— Voyons, ma femme, tu l'as vue autant que moi ! C'est elle qui est partie par en arrière au lieu de suivre les autres. Pour l'instant, c'est de patience pis de compréhension qu'elle a besoin de sentir autour d'elle. Mettons-nous un peu à sa place, ça fait dix ans qu'a poirote dans les murs des bonnes sœurs. C'est sûrement difficile pour elle de s'remettre le nez dehors ! Oublions pas que pour elle, dehors, c'est pratiquement juste des problèmes : ses fiançailles rompues, la maladie, la mort de votre mère, le beau-père qui s'est remarié dans la limite de temps acceptable. J'te rappelle que c'est elle qui s'occupait de la maison de ton père, là c'est vrai qu'elle s'est fait évincer. Ensuite les bonnes sœurs ! Tout un bail ! Laisse-lui le temps de digérer ses émotions. Sois patiente, continue à l'inviter à sortir sans trop insister. Fais-lui des p'tits cadeaux ! T'as certainement pas oublié à quel point ta sœur aimait être bien vêtue ! Si tu veux vraiment l'aider à mon avis, c'est en l'encourageant à se faire une robe ou deux. Le proverbe qui dit que l'habit ne fait pas le moine, avec ta sœur chus pas certain que ça fonctionnerait pas !

— T'as probablement raison. J'vais l'encourager à s'y remettre. Chus peut-être trop curieuse, mais c'est ma sœur, pis j'voudrais savoir c'qui est réellement arrivé avec les bonnes sœurs ! Tu comprends ?

— Oui, mais pour l'instant, si ça peut t'aider, dis-toi qu'a devait pas être à sa place. Cesse de chercher de midi à quatorze heures ! Tu dois apprendre à respecter son silence, pis arrête d'essayer de la mener comme une enfant !

— Si c'est son choix, elle a pas à brailler !

— Voyons, ma femme, même nos choix les plus réfléchis peuvent nous désarmer ! Ta sœur est désemparée, laisse-lui du temps. En ce moment, elle a uniquement besoin de sentir qu'on l'aime, pis qu'on est derrière elle.

Laurette n'avait pas envie de parler : elle avait joué sans préméditation la dernière carte de son jeu, et elle trouvait les conséquences lourdes. Elle devait maintenant trouver la force d'envisager l'incertitude et la hantise de son avenir. Mais pour Olympe, qui ne se mettait pas facilement à la place des autres, l'état dépressif de sa sœur avait un quelque chose de très humiliant. Elle se sentait prise dans une espèce de jeu de charité entre le devoir et l'obligation de garder sa sœur chez elle. Une personne venant d'inscrire à l'encre indélébile un monumental échec, aux yeux des bonnes gens. À son insu, elle voyait soudain sa petite vie bouleversée et n'eut bientôt en tête qu'une idée : lui trouver un bon parti afin de la marier le plus vite possible. Elle n'avait nul besoin de sa sœur comme bonne à tout faire, par surcroît une défroquée. Elle se mit donc à la recherche d'un homme en passant en revue les petits journaux à potins, puis un bon jour elle s'écria :

— Laurette, j'viens de découvrir l'adresse d'un bon petit veuf ! Y paraît que rien ne vaut un homme d'expérience pour redonner le sourire à une femme.

— J'te signale que ma peine a rien d'une peine d'amour. J'pensais qu'une fois la surprise passée, t'allais me comprendre ! C'est pas le mariage ni les enfants qui ont eu raison de tes mauvaises habitudes !

— Mes mauvaises habitudes ! Veux-tu bien me dire lesquelles ?

— Tu ramènes toujours tout à toi ! Essaie de t'mettre un peu à ma place, tu vas peut-être pouvoir me comprendre.

— Tu l'sais pas c'que tu veux ! Si t'avais vraiment voulu assurer ton avenir, tu te s'rais mariée depuis belle lurette, t'aurais jamais mis les pieds chez les bonnes sœurs, pis aujourd'hui, tu s'rais pas dans le pétrin !

— T'as raison, je suis dans le pétrin comme tu dis. Je ne voudrais pas être effrontée, mais en temps normal, t'es bien la dernière personne à qui j'aurais demandé de l'aide. Alors arrête ! Mieux encore, trouve-moi l'adresse de Denise si tu veux que j'parte. J'ai besoin d'un peu de temps pour digérer, oublier, me r'prendre en main. J'ai peur, peux-tu comprendre ça ?

En entendant ses propres mots, elle se mit une fois de plus à sangloter.

— J'me demande bien c'que l'avenir peut encore me réserver. Je suis devenue une enfant tremblante, juste à l'idée de devoir affronter pepa. Je réalise avoir manqué en n'allant pas le rencontrer tout de suite le lendemain de ma sortie du couvent. Est-ce que ton mari lui a dit que j'étais ici ?

— Oui, oui !

— J'le connais assez pour savoir qu'y va attendre pour que la rencontre se fasse sur son propre terrain, comme on dit. J'imagine qu'y va me dire « Tu l'sais ben qu'une gang de femelles ensemble, ça marche jamais ! Ça prend un coq dans le poulailler » ou bien y va me savonner avec un « Tu vois quand on appuie son frère contre son père, c'est ça, qui arrive, ma fille ».

— Voyons, Laurette, tu sais bien qu'y a oublié ça depuis longtemps, Roland est tellement heureux ! Comment voudrais-tu qu'il puisse encore lui en tenir rigueur? C'est la même chose pour toi! Inquiète-toi pas! D'ailleurs, la belle-mère l'a pas mal fait descendre de son piédestal!

— J'ai l'impression d'avoir perdu toutes mes illusions, toute confiance en moi et, ma grande foi du Seigneur, en l'avenir aussi. J'sais pas si c'est la vie, le couvent ou peut-être les deux qui m'ont rendue de même. Qu'importe, le moins que je puisse dire, c'est que mes valeurs en ont pris un sale coup!

— Secoue-toi un peu, tu vas finir par la retrouver, la fille que t'étais! Y a pas dix chemins à prendre Laurette. En fait, y en a qu'un seul capable de te donner à la fois tout ce dont t'as vraiment besoin: un beau petit veuf. Si tu r'tardes pas trop à te r'trousser les manches, t'es peut-être capable de t'faire un enfant, pis je veux être la marraine. Promis?

— Promis! Mais en attendant, je dois essayer de m'trouver de l'ouvrage. Si j'avais su que les choses tourneraient de même, j'aurais pris une autre route: on ne connaît pas l'avenir!

— Crois-tu que ça changerait bien de quoi?

— Olympe, j'ai presque quarante ans! J'ai pas de maison, pas d'emploi, pas d'enfants, pas de mari, j'ai absolument rien! Comprends-tu ça? J'ai rien! Rien! Rien! Pis j'panique à l'idée de devoir me r'mettre à tout bâtir!

— Au moins, chus fixée, t'as les deux pieds à terre! Au fait, Denise m'avait raconté qu'une diseuse de bonne aventure t'avait dit qu'elle voyait une fenêtre à côté de toi. C'était chez les bonnes sœurs?

— Au risque de te décevoir, c'était pas chez les bonnes sœurs comme tu dis. C'est de la foutaise, y a rien de vrai dans tout ça! Notre avenir, y faut le construire, le modeler, le polir jour après jour. Y a jamais rien d'acquis, surtout pas avec moi: j'construis, pis tout s'défait aussi vite! J'ai pas été mise dehors du couvent, mais chus pas partie librement non plus, si c'est c'que tu veux savoir!

Et c'est ainsi que de fil en aiguille, elle raconta à sa sœur ce qui s'était véritablement passé.

— Pour l'instant, j'angoisse juste à l'idée de tomber sur un de mes anciens employeurs. J'tremble comme une feuille en imaginant devoir écrire Mlle Laurette Boucher sur une fiche d'inscription!

— Secoue-toi un peu, bon sens ! Commence par te dire que le passé est en arrière, et fonce ! Si tu tombes sur un de tes anciens employeurs, dis-toi qu'y va t'engager ! Mieux encore, le pauvre homme est devenu veuf. C'est vrai, on ne sait jamais !

— Laisse-moi du temps, n'essaie pas de m'obliger à rencontrer des hommes trop rapidement. J'ai pas le goût d'additionner encore un échec. Mais rassure-toi, j'compte pas vivre à tes crochets encore bien des semaines.

— C'qui m'inquiète surtout, c'est la peur que t'arrives plus jamais à te r'trouver. Quand j'pense que durant des années, t'as été une grande modéliste tellement pleine de confiance. Je dirais même légèrement arrogante, sans oublier la maîtresse d'école formée par rien de moins que les Ursulines de Shawinigan. Si tu savais le nombre de fois que j't'ai enviée ! Retombe sur tes pattes, arrête de t'regarder le nombril ! Réalises-tu que t'es la personne la plus instruite de la famille ?

— J'vois aucune raison de le crier sur les toits. Dire que j'croyais qu'y suffisait de vouloir pour pouvoir tout réussir. La pensée magique a pas toujours sa place !

— J'y pense, reprends l'enseignement !

— Tu voudrais que j'aille proclamer le contraire de c'que j'viens de vivre en tant que fille de Dieu ! Non merci ! D'ailleurs, si l'enseignement avait été vraiment ma place, j'me serais probablement pas r'trouvée dans couture. Tu ne penses pas ? J'ai l'impression que t'as vraiment honte de moi ? En tout cas, si jamais on insinue que j'ai fait mes études sur le bras de la communauté pour en sortir après, tu pourras répondre que c'est pas vrai ! J'ai payé le plein prix en entrant à Pont-Viau.

— Entendu ! Astheure, va me défaire ton saudit toquions ! Tu t'peignes encore comme une bonne sœur. Pis emmène-moé les rouleaux avant que l'petit s'réveille !

— T'es folle, mais ça va me faire du bien. Je suis devenue une vieille fille Olympe, je me sens humiliée. J'ai honte.

— Parle pas trop fort, la servante du curé reste en haut. C'est une célibataire, tu vois c'que j'veux dire, j'voudrais pas qu'elle t'entende ! Y a rien de plus honorable ! Elle assiste le curé. Tu comprends ?

— Tu peux bien rire! Sans le réaliser, tu viens de l'dire: le mariage, la vie religieuse ou devenir la servante d'un curé. Le problème, c'est qu'y a juste un presbytère par paroisse!

— T'as toujours aimé être différente des autres, c'est le temps d'le faire voir! Montre à tout le monde qu'être une vieille fille, c'est pas catastrophique! Sois plus brillante que moi, arrête-toi pas à toutes les babioles de la société! Au fait, j'ai le jonc de maman. Avec une alliance au doigt, les gens oseront pas te questionner. Pour le reste, oublie pas qu'entre Montréal-Nord et Laval, y a tout un monde!

— Si ça peut te faire plaisir, j'te promets de t'accompagner au marché demain. En ce qui concerne le jonc de maman, laisse faire, j'aurais bien trop peur d'me faire prendre. Mais c'est gentil d'me l'offrir. Au fait, comment ça se fait que t'as ce jonc-là? Pepa l'a pas donné à sa femme?

— Elle aimait mieux le sien. Si ça te tente demain après-midi, on pourrait aller voir les vitrines du printemps! Tu vas voir qu'la mode a changé!

Laurette parvint petit à petit à refaire surface et se retrouva, quelques semaines plus tard, chez Morgan comme couturière à la chaîne. Et elle profita de la fête des Pères pour aller voir son père.

— Enfin! C'est pas trop tôt, j'commençais à avoir hâte de t'voir. Ta belle-mère est malade, pis c'est loin d'être la grande forme pour moé.

— Où est-elle?

— Elle est allée voir un de ses enfants. Franchement, Laurette, j'aimerais ben que tu r'viennes à maison, tu pourrais donner un coup de pouce à l'entretien. Olympe m'a dit l'autre jour que tu comptais t'chercher une chambre et pension. On s'arrangerait bien.

— J'avoue que je s'rais pas fâchée d'avoir une pièce bien à moi. J'y ai aussi laissé pas mal de linge, en fait pratiquement tout mon trousseau. J'vous avais dit de l'donner à Georgette lorsqu'elle se marierait, mais elle m'a dit l'autre jour qu'elle avait préféré faire le sien au complet. J'étais bien contente. Je devrais finir par en avoir besoin.

— J'te demande pas de détails, mais j'te cache pas que mon orgueil en a pris un sale coup, mais c'était surtout aux yeux des autres. Personnellement, j'me suis jamais bombé le torse pour crier ma fierté d'avoir une fille chez les sœurs de l'Immaculée-Conception ni d'avoir un gars chez les religieux de Sainte-Croix. Roland enseigne pourtant au collège Notre-Dame ! J'ai jamais compris le charivari de l'Église ! Veux-tu ben me dire pourquoi que tu portais pas le nom de sœur Sainte-Laurette ? J'imagine qu'y doit y avoir une sainte qui porte ton nom. C'est comme rien, c'est la même chose pour Roland : frère Gilbert ! Au moins, lui, y a gardé le nom des Boucher.

La compréhension de l'un et la libération de l'autre firent en sorte que Laurette retourna vivre chez son père. Au grand désespoir de sa belle-mère, qui s'était donné des droits de propriété sur le trousseau de Laurette.

— Si j'avais pas eu des morceaux en chantier, y m'resterait pratiquement plus rien ! s'exclama Laurette en pleurs, certaine de retrouver ses malles intactes.

— Tu dois comprendre ma femme. Pour elle, c'était du bon butin qui dormait inutilement. Si t'en vois dans maison, tu l'ramasseras, pis laisse-moé m'arranger avec ma femme, attise pas le feu. Tu m'paieras juste une petite pension le temps de r'faire ton trousseau. C'est entre nos deux, un petit secret, ça a jamais fait mourir personne !

— Comment veux-tu que j'arrive à me remonter un trousseau ? J'ai mis des années à le bâtir.

— J'te comprends, pis j'te crois. J'ai de l'argent de caché en dessous d'une planche, tu peux peut-être essayer de trouver c'qui t'manque le plus. Astheure, y s'fait des belles affaires dans presque toutes les manufactures. Y a même des femmes qui gagnent pratiquement leur vie à faire juste d'la broderie pour les autres. J'le sais parce que j'connais un gars qui vit avec sa fille, pis c'est ça qu'a fait !

La belle-mère, qui se savait fautive, ne plia pas pour autant l'échine, bien au contraire, et l'air devint rapidement irrespirable. Laurette n'avait plus sa place dans cette maison. Elle le savait, mais ne sachant pas trop où aller, et sous prétexte que c'était la maison familiale, elle opta pour l'éternel jeu de force qui consiste à faire semblant: parce qu'il n'y a pas véritablement de solution immédiate au problème et que la confrontation ne serait pas sage.

— T'aurais pu m'en parler! lui répétait continuellement sa femme. Tu l'savais que ma fille espère venir vivre avec nous autres, j'te l'ai dit ben des fois! Tu disais que t'étais pas assez vieux pour permettre à ma fille de venir vivre avec nous autres pis, sans même m'en parler, t'invites ta défroquée à venir s'installer.

— Chus chez nous! Pis c'est pas pareil, Laurette a pas de mari et pas d'enfants! Pis c'est pas une impotente! J'espère que tu comprends c'que j'veux dire!

À tenter de servir deux maîtres à la fois, Laurette ne réussit pas à se faire remarquer suffisamment pour se sortir du travail à la chaîne. Sa belle-mère, qui par ses exigences avait comme but de pousser Laurette à partir pour laisser la place à sa fille, l'épuisa rapidement. Six mois plus tard, elle quitta la maison à la demande de son père, sous prétexte qu'il avait besoin de quelqu'un en permanence avec eux.

Elle retourna s'installer chez sa sœur à la demande de cette dernière qui, sur le tard de sa vie, vivait une autre grossesse difficile. Trois mois plus tard, elle lui signifia à son tour qu'elle n'avait plus besoin de ses services. Elle pouvait cependant lui louer une chambre, puisque son mari détenait maintenant la maison au complet. Laurette accepta.

— Ma grande foi du Seigneur, Laurette, s'exclama un soir sa sœur, réalisant qu'elle passait en revue les petites annonces. Espères-tu encore te dénicher un emploi de modéliste? C'est pas d'une autre job que t'as besoin: c'est d'un mari, pis ça presse! Tu vas pas aller d'une maison à l'autre de même ben des années. Change de rubrique, pis t'as pas intérêt à lever le nez trop haut!

— J'aimerais te faire remarquer que c'est pepa pis toé qui vous amusez à jouer à balle avec moi! Pis j'ai pratiquement plus de trousseau!

— Tu vas voir que j'vais t'en faire un moé, pis dans pas grand temps. Mes malles sont encore pleines de choses que j'trouve trop belles pour user. Si t'es veux, elles sont à toi, même Georgette en a à t'donner.

Laurette obéissait à l'un et à l'autre aveuglément depuis si longtemps qu'elle n'eut même pas l'idée de refuser cette solution. Et elle passa au courrier du cœur.

Abitibi, Québec, cultivateur, veuf, père de famille de cinq enfants à la recherche d'une âme dévouée et charitable.

Percé, Gaspésie, veuf, père de deux jeunes enfants, recherche une compagne et mère pour ses enfants.

Elle hésita à peine quelques instants devant les deux choix. Ils demeuraient presque aussi loin, l'un comme l'autre, de Montréal. Et devant les deux annonces, consciente qu'elle jouait son destin dans un scénario où l'amour viendrait peut-être après, la raison prit d'assaut sa vie.

— Réponds aux deux ! lui conseilla sa sœur. De même, tu vas probablement recevoir une réponse.

C'est ce qu'elle fit ! Et elle reçut des nouvelles des deux hommes. La tournure des phrases lui laissa croire que l'Abitibien possédait une certaine culture. Après avoir lu et relu les deux lettres, elle opta pour ce dernier, et demanda une lettre de recommandation de la part du curé de la paroisse.

Ce dernier lui fit parvenir une lettre élogieuse. Elle accrocha cependant sur la partie du texte qui disait :

Il a déjà bu, mais il faut comprendre qu'être veuf avec cinq enfants est un fardeau bien lourd. Il regrette de s'être jadis égaré et il me promet de s'amender. Si vous acceptez le mariage, vous serez, Mademoiselle, bénie de Dieu tous les jours de votre vie.

Soyez assez dévouée pour venir aider cet homme dans son lourd labeur.

Votre futur curé. J. A. Tremblay

Dévouée, charitable, lourd labeur, comment Laurette aurait-elle pu passer à côté de cette croisade ? Une fois de plus, elle pensa que Dieu lui ouvrait une porte. Ils échangèrent quelques lettres et photos, puis Hervé, de prénom cette fois, s'annonça en personne, et on fixa la date du mariage.

C'est ainsi que le 7 juin 1939, dans la paroisse de Sainte-Jeanne-d'Arc à Montréal, Laurette épousa un veuf abitibien, ignorant alors que les lettres échangées avaient été écrites par une sœur de son mari, et les références dictées par le principal intéressé.

Au regard de ce temps et de l'emprise qu'avait alors la religion, il faut comprendre que ce prêtre n'avait rien de plus ni de moins qu'un autre. Ce n'était qu'un colonisateur aux idéologies claires et quelque peu bornées. Il suivait de près ses paroissiens et, comme bien des prêtres de cette génération, il pouvait avoir l'œil clair ou être sourd comme bon lui semblait... et il n'avait pas peur de prendre des décisions, aussi radicales furent-elles!

Après une courte cérémonie et un petit dîner, ils montèrent dans un train pour un très long voyage de noces. Le retour pour lui et l'allée simple pour elle, direction Makamik, un petit village situé à plus de vingt-trois heures en train de Montréal. Laurette ne tarda pas à réaliser que son mari n'arrivait pas à soutenir une conversation. Et elle se fatigua quelque peu à toujours tenter d'alimenter la conversation pour se retrouver en face de rien après quelques mots. Voyant à quel point il semblait pressé de passer à l'acte, elle ne le retint pas, se disant qu'après tout, elle était sa femme et que, tôt ou tard, elle devrait s'y soumettre. Elle avait aussi l'impression que chaque fois qu'il se rendait aux toilettes, il revenait avec une certaine odeur d'alcool. Il était un peu plus bavard, mais avait des propos déplacés et était de plus en plus collant. La petite cabine n'entendit pas de mots d'amour, ni ne vit d'éclat. Ce fut rapidement chose faite, et Hervé s'endormit. Triste comme elle ne l'avait pas été depuis très longtemps, Laurette se rhabilla et s'installa, afin de voir défiler la nature. Un court instant, elle s'imagina en route pour une mission, et cette pensée lui fut fort agréable, mais les ronflements de son mari la ramenèrent à la réalité. Jamais elle n'aurait pu imaginer voir les choses se passer ainsi. Après plus d'une heure, Hervé se réveilla en s'exclamant:

— J'ai faim en bâtard, t'aurais dû m'réveiller!

— Moi aussi, mais je savais pas si je devais me le permettre.

— Ben, allons-y, grogna-t-il.

Elle pensa qu'il valait mieux ne rien dire et le suivre vers la voiture-restaurant.

Assis l'un en face de l'autre, elle ne savait pas quoi lui dire et il ne semblait pas s'en inquiéter. Laurette prenait son premier repas en tête-à-tête avec son mari, un homme qui mangeait gloutonnement, sans se soucier de sa partenaire. Laurette tenta une fois de plus de démarrer une certaine conversation :

— Les Montréalais qui parlent du Nord n'ont pas la moindre idée de toute l'étendue que ça représente !

— C'est simple, y ont jamais rien vu ! dit-il avec un certain mépris.

Elle pensa qu'il valait mieux ne rien dire. Hervé se mit alors à faire des farces avec les gens de la table voisine. Elle se sentit un peu frustrée, mais se dit que dans le train les choses devaient se faire ainsi.

Même si Hervé avait toujours avec lui ses précieuses potions, il s'était bien gardé d'en abuser, afin de s'assurer sans l'ombre d'un doute que sa nouvelle femme était bien vierge. C'était maintenant chose faite, et il pouvait dorénavant, sans se cacher, prendre son petit rouge. Laurette réalisait, malgré elle, qu'elle n'avait absolument rien en commun avec cet homme, sauf un papier qui les liait pour la vie.

De retour à la cabine, il s'exécuta de nouveau, pour une fois de plus se rendormir. Recroquevillée près de lui, Laurette essaya de s'endormir et y parvint finalement, mais les nombreux arrêts et sifflements du train l'empêchaient d'entrer dans un profond sommeil. Joliette, Shawinigan... Laurette versa quelques larmes en pensant y avoir étudié. Hervey-Jonction, La Tuque, Parent, Clova.

— Mais qu'est-ce qui se passe ici ?

Jetant un coup d'œil par la fenêtre, elle vit que deux hommes se bagarraient, tandis que d'autres d'allure réjouie suivaient la scène. On embarquait ou débarquait des bagages, sans s'inquiéter de ce qui se passait près d'eux.

— Qu'est-ce que tu fais ? demanda Hervé, que les cris venaient de réveiller. Viens te coucher !

— Y a des gars qui se battent, pis c'est pratiquement juste des Indiens, tu ne me l'avais pas dit dans tes lettres. Si je l'avais su, j'aurais essayé de connaître leurs mœurs, leur langage.

— Une bataille, c'est normal! Tu parles anglais, y a pas de problèmes. Viens te coucher! Y en a pas en Abitibi, pis on a encore long à faire.

— C'est juste de la forêt partout! J'sais pas comment ça fait de fois que je r'garde dehors, c'est toujours juste du bois.

— Pas en Abitibi. Viens dormir.

Elle appuya délicatement sa tête sur le bras de son mari, et se rendormit.

Avec le lever du jour, elle vit défiler ce qu'on dit être le pays de l'épinette: Senneterre, Amos, Taschereau, Authier et, enfin, Makamik. Deux des fils de Hervé les attendaient avec deux attelages différents, une petite carriole pour eux et une autre voiture pour les bagages: trousseau et cadeaux de noces. Laurette n'arrivait pas les mains vides.

En entrant dans la maison, elle remarqua qu'il n'y avait pas cinq mais bien six enfants. Elle n'en fit aucune remarque. Ce n'était pas le temps, ni la fin du monde. Les jours suivants, elle découvrit qu'il y en avait aussi trois autres qui attendaient pour revenir au bercail. Elle ne tarda pas non plus à découvrir que si son mari était un homme au premier abord fort attachant, en boisson, c'était autre chose. Elle devait aussi se faire à l'idée que certains des adolescents qui se débrouillaient tant bien que mal n'étaient pas majoritairement prêts à accepter une belle-mère. C'est donc au jour le jour qu'elle réalisa s'être embourbée dans une funeste fourberie. Profondément ancrée dans la religion catholique, comme à peu près toutes les femmes de l'époque, elle se refusa, dans un premier temps, à analyser la situation qui prévalait autour d'elle. Il faut aussi dire que le quotidien ne laissait pas grand place aux rêveries.

Deux mois après son mariage et son installation en Abitibi, elle reçut une lettre de son frère Roland qui lui annonçait son départ prochain pour l'Inde:

— Je vais aller vous faire une petite visite de politesse avant de quitter le Canada.

Il fut reçu par tous les membres de la famille avec respect et fierté. Recevoir chez soi la visite d'un religieux en grande soutane noire représentait tout un honneur à cette époque! Le beau-frère, tout miel, s'efforça de se montrer sous son meilleur jour, et Laurette sauta sur l'occasion pour lui demander des planches, afin que son frère puisse lui montrer ses talents de menuisier. Il accepta.

Elle s'était fait à bien des choses en deux mois, mais devoir aller à la selle sur une pelle, avec la peur de se faire surprendre dans une position gênante, pour ne pas dire humiliante, lui déplaisait au plus haut point. Elle se fit donc construire des latrines, qu'on appelait généralement bécosse. Cette dernière comptait deux trous, un grand et un petit, histoire de convenir aux différents postérieurs de la maisonnée. Cette commodité fit rapidement boule de neige dans le rang.

Quelques jours plus tard, Laurette remarqua que certains des enfants dégageaient une odeur fort désagréable. Elle ne tarda pas à réaliser que plusieurs utilisaient surtout la bécosse pour jouer à la cachette. Il valait mieux commencer par regarder dans les trous avant de profiter de la quiétude d'un moment d'intimité.

Le temps de séjour de son frère passa vite, et les occasions de parler en tête-à-tête avec lui furent quasi inexistantes. Il faut aussi dire qu'il avait tellement le sens du devoir acquis, le pardon, la charité et l'oubli de soi, que cela aurait été comme un manquement à l'éthique. Elle décida de faire semblant, et son mari en fut fort aise ! Cela ne l'empêcha toutefois pas de reprendre ses habitudes aussitôt la visite partie. Et Laurette regretta de ne pas avoir eu le courage de se confier. Il lui fallait maintenant retrousser ses manches, l'heure n'était pas aux jérémiades. Elle devait faire face à la situation et apprendre à se contenter des besoins immédiats : vêtements, calfeutrage, récolte et conservation des légumes.

Dans les années 1940, l'automne abitibien était une saison exigeante qu'il fallait apprivoiser avec sagesse. La petite Montréalaise ne tarda pas à le réaliser, et l'impression d'utilité qu'elle en retira lui redonna de l'énergie.

La traditionnelle visite de paroisse amena monsieur le curé à se présenter à la petite maison où Laurette tentait de s'affirmer et de survivre à l'indifférence qui, majoritairement, faisait corps autour d'elle. À peine venait-il de terminer la bénédiction et les formules de politesse d'usage qu'il aborda sans aucune pudeur la vie privée de sa nouvelle paroissienne.

— Comment mon enfant, j'ai l'impression à votre tour de taille que vous n'êtes pas enceinte? J'espère que vous faites bien votre devoir conjugal!

— Le bon Dieu pense peut-être que j'en ai assez. Vous ne pensez pas, monsieur le curé, qu'il aurait sans doute raison? Au fait, vous auriez été mieux de regarder dans vos registres le nombre d'enfants!

— Vous ne voulez pas dire que vous avez des regrets! s'exclama-t-il, tout offusqué.

— Si je vous ai demandé des recommandations, monsieur le curé, c'est parce que je voulais la vérité.

— Sur quoi tite-fille?

— Tout! Monsieur le curé, le nombre d'enfants n'aurait probablement pas pesé beaucoup dans la balance. Au fait, regardez le beau bébé tout fait qui vient juste de m'arriver. Vous savez qu'y en a encore au moins deux à venir! Mais le plus grand problème vient des constantes beuveries de mon mari. Vous aviez aussi oublié de me dire que c'était un batteur de femmes: regardez-moi les bras, pis le contour des yeux! En m'en venant par ici, avec votre belle lettre de recommandation dans mes bagages, j'pensais savoir un peu à quoi m'attendre! Je vous avoue que j'me sens bien seule dans votre paroisse depuis mon arrivée ici. Je donne et je donne, sans jamais recevoir la moindre attention. La majorité des enfants m'ignorent, sauf quand c'est le temps de manger ou de fabriquer une paire de culottes. Je ne sais pas sur quel pied danser ni avec eux ni avec mon mari. Pour la plupart des grands, je ne suis qu'une débile de belle-mère! Chaque fois que je parviens à faire un pas avec un des jeunes, les autres se liguent contre lui en le ridiculisant. C'est comme si j'étais responsable de la mort de leur mère et qu'ils devaient me le faire payer. Et vous venez me formuler votre inquiétude sur le sens de mon devoir.

— Le fait d'avoir un religieux dans votre famille ne vous autorise pas à me parler ainsi. Vous êtes arrogante, tite-fille!

— Je ne le crois pas, mais je suis déçue, monsieur le curé. Et je vous signale que je ne suis pas une tite-fille, mais bien une femme! Qui croit que personne n'est autorisé à mentir contre une autre.

— Rien n'est jamais complètement noir ni complètement blanc. Je n'avais aucune raison de pas avoir confiance en mon paroissien. Faites votre devoir conjugal comme il se doit, et les choses se replaceront.

— Essayez-vous de me faire comprendre qu'en Abitibi, une femme c'est comme une vache, ça doit accoucher une fois par année ?

— C'est votre interprétation ! Vous êtes trop instruite cependant pour ne pas savoir que mettre au monde des enfants est la principale raison du mariage.

Et, s'adressant au mari de Laurette :

— Tu m'avais promis de t'amender ! Tu m'avais juré de plus jamais boire après ton mariage ! s'écria le prêtre, l'index en l'air devant le visage d'Hervé assis au bout de la table.

— Elle exagère, vous savez ben comment sont les femmes, répondit Hervé d'un ton sarcastique.

— J'sais aussi comment tu peux être ! T'as besoin de passer au presbytère avant de partir pour les chantiers. Je suis navré, madame. Que le Dieu tout-puissant vous bénisse !

Et sur ce, il s'esquiva. Hervé, qui pouvait être aussi arrogant à jeun qu'en boisson, poussa Laurette avec rigueur contre le mur et alla se redonner de l'énergie en vidant rapidement une bouteille de boisson forte dissimulée sous le matelas. Une fois de plus, il lui fit une sainte colère, histoire de lui montrer qu'elle avait outrepassé ses droits. Ce fut heureusement pour elle le chambranle de la porte de chambre qui reçut le petit banc.

Certains des aînés parvinrent à le calmer un peu et réussirent à le convaincre d'aller les aider à l'étable. Laurette en profita pour faire le souper. À son retour, comme il avait un peu dormi sur un tas de foin, tout semblait être revenu à la normale.

— Vous devriez faire attention, lui conseilla une des filles, y pourrait vous tuer. Je l'ai vu pousser ma mère en bas du grenier avec un petit bébé dans son ventre.

⌣

La distance et le manque de communication de l'époque l'incitèrent à la prudence, d'autant plus qu'elle ne pouvait rien espérer de sa famille vivant au loin. Elle ne pouvait compter que sur elle-même ou presque, et filer doux. Ça ressemblait drôlement à une question de survie. Il la tenait, et la soumission urgeait. J'aurais dû repartir avec Roland, se répéta Laurette tout en se demandant comment on pouvait survivre dans un pareil enfer !

Quelques jours plus tard, elle reçut une longue lettre de son jeune frère Roland. Ce dernier lui apprenait avec gloire qu'il était dans l'attente de son passeport. «J'ai hâte d'aller aider les gens dans le besoin… »

Elle pensa, avec rage, lui écrire que c'était elle qui avait besoin de son aide ! Mais sa noblesse et son orgueil l'obligèrent à ne rien dire. Elle se devait de le laisser partir sur une note d'espoir. Elle s'attarda donc longuement à lui parler de la pluie, du beau temps, des récoltes, des enfants et un peu de son mari. Il n'avait pas suffisamment su lire en elle pour découvrir son désarroi : elle devait maintenant se taire.

L'éclatement de la Deuxième Guerre mondiale n'amena pas l'obédience espérée par Laurette. Elle savait bien au fond son attente futile : en vie ecclésiale tout comme en politique, ceux qui prennent les grandes décisions en regard de la vie des autres se tiennent toujours loin des conséquences.

Les nouvelles relatèrent qu'un bateau avait été coulé près de Colombo au Sri Lanka, mais Laurette ne parvint pas à savoir s'il s'agissait du bateau de l'aller ou du retour de l'Inde. Pour elle qui avait toujours couvé son jeune frère, un peu comme son propre fils, cette incertitude la déchirait. Le doute, l'inquiétude, l'angoisse et la peur vinrent rendre les jours encore plus difficiles.

Trois mois plus tard, elle passa rapidement du rire aux larmes en voyant la lettre bleue envoyée par avion parmi la correspondance habituelle. Son cœur s'arrêta pratiquement de battre un instant :

— Dieu merci, il est vivant ! C'est pas possible ! s'exclama Laurette, en sanglots, en reconnaissant l'écriture de son frère.

Tenant compte de l'inquiétude qui sévissait depuis l'éclatement de la guerre, les religieux avaient reçu la permission exceptionnelle de faire parvenir aux membres de leur famille des lettres par courrier rapide.

Chère sœur et cher beau-frère,

Me voilà enfin sur le terrain à Calcutta en Inde. Le peuple indou est fort attachant. Mes deux confrères et moi avons été reçus comme des dieux. Difficile à croire, mais ici, si on veut faire plaisir à la cuisinière après le repas, il faut roter. Plus c'est fort, plus elle apprécie. Pas facile, mais je vais m'y faire. Après notre premier repas en tant que résident – au menu, il y avait du serpent accompagné de riz au cari, le riz est très bon en passant – les femmes nous ont offert chacun un sari. Les hommes ont bien rigolé devant notre naïveté : il s'agit en fait d'un vêtement féminin, je dirais comme une grande nappe dans laquelle on s'enroule et qu'on noue tant bien que mal, et ça doit tenir ! Je n'ai pas encore vraiment compris la symbolique, peut-être que c'est pour nous dire que pour elles, nous sommes comme des femmes. C'est peut-être nos grandes robes. J'en sais rien ! Au fait, elles font des bons biscuits avec des insectes séchés réduits en poudre. Et leur manière de servir le thé est d'une élégance incroyable. J'ai filmé ça, et j'ai déjà hâte de te montrer ça ainsi qu'à ton mari. On m'a fait une petite fête avant mon départ de Montréal, j'ai reçu une caméra et une ciné-caméra en cadeau. Pas besoin de te dire, chère sœur, à quel point j'étais heureux.

Mais revenons à la réalité. Il est difficile de croire que les gens doivent marcher des heures pour aller puiser de l'eau potable, et que c'est pratiquement uniquement des femmes qui doivent s'acquitter de la tâche. J'ai enfin reçu le matériel qui devait me suivre. Demain, on commence à creuser un puits ! Je suis mieux d'aller me coucher pour être en forme et de bien fermer mon espèce de petite tente en voile. Il y a deux semaines, je me suis réveillé avec un cobra. Il m'a passé sur le corps comme rien, je t'assure que je n'ai pas bougé et que j'ai retenu ma respiration. Mais aussitôt que je l'ai vu sortir, j'ai fermé ma fermeture éclair : je t'assure que je ne l'oublierai plus jamais ! Les nuits sont assez froides et ils cherchent de la chaleur, mais la mienne, c'est fini. Te souviens-tu que notre grand-père Gédéon disait souvent qu'il y avait un bon Dieu pour les imbéciles ? Ah ! Ah ! Ah !

Ne t'inquiète surtout pas de moi, je suis prudent. J'ai, tout comme toi, une grande mission à accomplir.

Que Dieu te bénisse, toi, ton mari et les enfants.

Ton frère. Fr. Gilbert Boucher

Il ne parla pas du fait qu'un bateau avait été coulé un peu avant ou après son arrivée en Inde. Laurette se dit qu'il ne devait même pas le savoir, et que c'était bien mieux ainsi. Soulagée de le savoir rendu à destination sain et sauf, elle pouvait maintenant l'oublier un peu et penser davantage à elle. La cigogne allait venir…

Chapitre IV

Selon lui, il aurait mieux valu qu'elle meure

Larme à l'œil pour un oui ou un non, maux de cœur, et parfois même un peu de panique. Autour d'elle, il n'y avait ni emballement ni attention : tout semblait banalement normal. Mais pour elle, il s'agissait d'une première grossesse à quarante ans ! Elle était prise dans une relation boiteuse où l'amour se résumait à une sexualité bien peu expressive, qui lui faisait voir davantage la vie en noir et blanc. C'est-à-dire sans magie ! Ce qui amplifia le phénomène d'instabilité psychologique que l'on rencontre fréquemment au début d'une grossesse. Son mari ne s'arrêta guère à ses états d'âme. Sa première femme en avait porté treize, et le médecin lui avait dit que ce n'était pas sa dernière grossesse qui l'avait fait mourir.

Le premier hiver abitibien de Laurette se déroula tout de même assez bien. Il faut dire que son mari l'avait passé au loin dans un chantier ontarien, comme la grande majorité des cultivateurs de l'époque. Dès son retour, par ses agissements, il démontra à sa nouvelle femme que rien n'avait changé. Son gros ventre ne l'impressionna pas : il en avait vu d'autres.

Toutes les prières et neuvaines à répétition, que Laurette avait faites aux saints qu'elle avait crus les plus aptes à pouvoir intercéder auprès de Dieu, n'avaient en rien amélioré le caractère et les habitudes de son mari. Elle avait déjà entendu sa mère dire : « On change pas un homme, on s'en arrange, ou bien on s'en va vivre aux frais des petites sœurs de la Miséricorde. » Elle avait maintenant l'heure juste sur la vie maritale et, pour elle, l'un ne valait pas mieux que l'autre !

Elle essaya alors d'obtenir l'adresse d'une cousine susceptible de lui être d'une certaine aide. Mais l'intensification de sa correspondance, composée à la sauvette et à la cachette de l'un et de l'autre, eut rapidement pour effet de mettre certains membres de la famille aux aguets. Aucune des filles n'avait envie de se retrouver avec la besogne sur le dos. La lettre interceptée et brûlée sous ses yeux par son mari fut probablement celle qui aurait pu changer le cours de sa vie. Quelques semaines plus tard, le 13 juillet, elle donna naissance à son premier enfant, son premier fils. Et, comme une eau vive, la vie en elle jaillit: de sa race, elle n'était plus seule.

— Je veux que mon fils s'appelle Réal, dit-elle.

Mais pour certaines personnes de la famille, ce prénom sonnait trop comme Montréal! Il devait refuser, et c'est ce qu'il fit! En omettant cependant de lui en faire part. À cette époque, les enfants étaient généralement baptisés le dimanche suivant leur naissance. Cette journée-là, la mère était encore alitée. Au retour de l'église, on lui apprit qu'on avait oublié le nom qu'elle avait demandé pour son enfant.

— Il s'appelle Jean-Pierre, lui annonça la femme qui représentait sa sœur aînée comme marraine.

Laurette trouva la suspicion trop enfantine pour réagir. De toute façon, les mots n'auraient rien changé à la réalité. Elle était maintenant mère d'un fils, et aucune supercherie ne pouvait effacer cette réalité.

Au fil du temps, elle tissa des liens de plus en plus solides avec madame Lambert, sa plus proche voisine. Cette dernière, avec l'accord de son mari, accepta de poster une lettre de Laurette à sa cousine et de lui remettre en cachette le retour du courrier. Laurette obtint finalement la promesse d'aide demandée mais, sentant qu'on épiait ses moindres mouvements, elle décida de laisser passer l'hiver.

À sa grande surprise, son mari se mit à raconter à tout le monde que sa femme était folle. Il manipulait à sa façon l'indiscrétion faite par la sœur aînée de Laurette lors du mariage. Elle lui avait confié que, tenant compte de l'âge de sa nouvelle femme et du délire fait par cette dernière lors de la grippe espagnole, il avait peu de chance d'avoir de nouveaux enfants. Il se servait maintenant impunément de cet aveu pour laisser supposer à son entourage que sa femme était sujette à la déraison, et qu'on devait la surveiller.

Laurette en fut profondément attristée. Mais elle décida de maintenir sa décision, se disant qu'il allait partir pour les chantiers et que les enfants avaient malgré tout besoin d'aide. Elle ignorait alors que certaines personnes sont capables de bassesses pour obtenir une certaine forme de bénédiction. Et il en avait besoin pour passer son temps à l'hôtel. En racontant des histoires insolites sur sa femme, il lui arrivait probablement de se croire. Ne suffit-il pas de répéter un mensonge pour commencer à douter?

Sa décision d'abandonner son mari, allant et venant souvent au gré du vent, devint claire: il fallait le faire avant de tomber malade. C'était la sagesse même, mais elle devait, mine de rien, rester calme et essayer de ramasser l'argent nécessaire pour le voyage, en reprisant des vêtements pour les voisins. Elle ne craignait pas de se retrouver enceinte, puisqu'une vieille croyance populaire voulait qu'une femme qui allaite ne puisse pas redevenir enceinte durant cette période. Il lui sembla sage de ne pas brusquer les événements. Ce n'était au fond pas si urgent.

Mais à sa grande surprise, elle réalisa, au début du printemps, qu'elle était de nouveau enceinte. Elle essaya tant bien que mal de cacher la nouvelle, le temps surtout de parvenir à un certain renoncement. Par la suite, elle vit cette grossesse comme un tracé de sa vie de femme. Le rêve de retourner vers la haute couture montréalaise n'avait plus sa place.

Elle éprouvait bien, de temps à autre, des envies de revenir sur sa décision, mais elle se reprenait, se disant qu'elle était une femme mariée, pour le meilleur et pour le pire. Cependant, elle ne pouvait s'empêcher de penser que son premier amour, tout comme son second, devait durer toujours. Que de rêves effrités malgré sa volonté! Que de mots devenus des non-sens dans les vents de sa vie! Ce n'était jamais elle qui avait fait les remises en question: les volte-face s'étaient imposées d'elles-mêmes et, chaque fois, elle avait décelé une lointaine lueur d'espoir.

Au mois de juillet 1941, alors que son tour de taille s'alourdissait de plus en plus, et que son secret allait bientôt devenir un secret de polichinelle, l'oncle qui avait recueilli Géraldine, la petite dernière de la première famille de son mari, l'a ramena avec ses bagages. Sa femme, qui n'avait pas eu d'enfants, trouvait trop difficile de continuer.

— Est-ce que mon mari le sait?

— Oui, tout est arrangé.

— Je savais qu'elle allait revenir, dit Laurette pour couvrir son mari, mais j'ignorais que c'était cette semaine. Y a probablement oublié de m'en parler. C'est sa fille.

Elle avait à peine neuf ans. Elle s'approcha craintivement de sa nouvelle mère. Après un sourire échangé et l'ouverture des bras de Laurette, elle s'y jeta littéralement. Elle était toute menue et possédait la spontanéité que Laurette avait espéré retrouver chez les autres.

— Tu vas venir avec moi, dit Laurette après le départ de l'oncle. On va aller dans le champ voir papa et tes frères, j'suis certaine qu'y vont être contents de te voir! On va leur amener une bonne limonade froide, mais j'ai pas la moindre idée où peuvent bien être passées tes sœurs.

Les filles, qui s'étaient éloignées par crainte de la réaction de Laurette, lui prouvèrent qu'elles savaient que Géraldine était sur le point de revenir. Voyant que tout se déroulait bien, elles s'approchèrent en riant, tout heureuses de retrouver leur jeune sœur. Et même si Laurette savait qu'il s'agissait pour elle d'une nouvelle charge, elle l'accepta comme un cadeau. C'était la première fois qu'un des enfants de son mari se blottissait de son propre gré dans ses bras.

— Vous irez lui préparer un coin pour la nuit, et défaire sa petite boîte. Ensuite, si vous voulez une bonne crème comme dessert, y faudrait aller ramasser des fraises. Les garçons disent que c'est encore bien rouge près du petit pont en bordure de la forêt.

Elles se mirent à rire de soulagement. Pour un instant, elles s'étaient demandées si Laurette n'allait pas refuser de la garder.

En marchant à travers les champs, Laurette se surprit à se sentir bien. Elle humait l'odeur du foin frais coupé, souriant au vent qui caressait son visage tout en jouant dans ses cheveux. Bien agrippé à elle, Jean-Pierre souriait à la présence de Géraldine, comme tous les enfants heureux d'en voir un autre. Laurette voyait soudainement à son insu jaillir la lumière lui dictant son chemin. Sans trop le réaliser, elle prenait petit à petit, inconsciemment, possession de la terre, de sa terre. Elle était enfin chez elle. C'était maintenant à elle de faire en sorte que sa vie soit supportable. Il n'y avait plus d'interrogations possibles sur ce que Dieu attendait d'elle.

Nombreux sont les voisins qui s'offusquèrent de voir sa tâche s'alourdir, mais pour elle, l'arrivée de cette enfant apporta un quelque chose de magique. Géraldine, avec sa candeur et son absence de barrières, amena même les autres à être plus proches de Laurette.

Quelques semaines plus tard, une des filles vint se plaindre à Laurette que son père essayait toujours de la tripoter, puis ce fut le tour d'une autre. À la fois bouleversée et choquée, elle en parla d'abord à son mari, qui nia tout avec conviction. Et elle alla au presbytère afin de se confier au curé. Loin d'en faire un drame, il rétorqua plutôt que c'était à elle de les faire taire, et de mieux surveiller son mari. Les filles portaient peut-être des tenues trop légères !

Une fois de plus, il lui rappela l'importance de ne jamais refuser le devoir conjugal, même si elle était enceinte. Il la conjura d'agir discrètement : la réputation d'un homme était en jeu ! C'était sérieux, elle devait faire très attention !

L'unique responsabilité retomba finalement sur elle. Laurette ne pouvait concevoir que cet homme puisse banaliser l'importance des gestes posés par son mari, comme si c'était normal qu'un homme créé à l'image de Dieu puisse se conduire tel un animal ! Comme bonne chrétienne du temps, Laurette se mit à penser qu'il pouvait bien avoir raison, car elle n'était pas toujours très enchantée de se soumettre à son devoir conjugal. « Ma chienne, ma charogne, ma folle », ce n'était pas ce à quoi elle avait d'abord pensé en prélude à l'amour. Elle apprenait à comprendre le véritable sens du mot *devoir*.

Laurette se fit connaître au jour le jour, au gré de furtives rencontres : en bordure de la clôture lorsqu'elle travaillait dans le jardin, au magasin général ou sur le parvis de l'église. Ses voisines ne tardèrent pas à réaliser qu'en plus d'être une excellente couturière, la tenue des enfants en faisait foi. Elle était aussi bilingue.

Même si les gens à l'époque employaient majoritairement dans leur conversation courante de nombreux anglicismes, la plupart ignorait le sens des mots de leur vocabulaire. On se mit alors à lui demander des petits services: écrire une lettre, en déchiffrer une autre, servir d'interprète, créer un modèle. Il ne restait plus qu'un pas à franchir, celui de lui demander de faire des vêtements, ce qui ne tarda pas. La vieille machine à coudre qu'elle avait reçue de sa famille en cadeau de noces lui rendit de nombreux services, tout en lui faisant gagner, par le fait même, des indulgences et des prières en guise de paiement dans trop de cas. Avec madame Lambert, c'était couture contre tricot, ce qui semblait satisfaire autant l'une que l'autre.

Il faut dire qu'elle ne s'accordait pratiquement jamais de sorties pour le plaisir. Je dirais même qu'il lui fallait une raison presque majeure pour prendre le temps d'aller rendre visite à une voisine. Comme lorsqu'elle fut la sage-femme du rang. Pendant plus de vingt ans, des bébés, elle en a lavé matin et soir, et elle devait souvent marcher de quinze à trente minutes pour arriver à la nouvelle maman. Le retour des chantiers semblait être une période féconde... donnant par le fait même des beaux bébés aux premiers mois de l'année suivante. Nous étions toujours aux premières loges pour les voir parce que nous l'accompagnions les soirs de semaine, et les matins et soirs les fins de semaine. En dehors de ça, la lecture d'annales ou de revues passait nettement avant une sortie, tandis que le reprisage des bas de laine se faisait généralement en écoutant le hockey ou une lecture de pièce théâtrale à la radio.

Hervé, qui s'était permis de dénigrer sa femme, ne tarda pas à perdre la face aux yeux de certaines personnes, perdant par le fait même la bénédiction de s'éterniser à l'hôtel, ce qui ne faisait pas tellement son affaire. Espérant sans doute se racheter aux yeux des voisins, il décida de convaincre son contremaître qu'il devait revenir auprès de sa femme pour l'accouchement. Ce dernier étant prévu pour le début de décembre, Hervé espérait, par sa présence, dérouter ceux qui lui jetaient un regard inquisiteur.

En débarquant à la gare de Makamik, il se rendit à l'hôtel Plaza, juste pour un verre ou deux. Finalement, ce n'était pas la peine de les compter. Le chauffeur de taxi lui apprit en fin de journée qu'on avait demandé le médecin pour sa femme :

— Je peux aller vous conduire tout de suite si vous voulez ?

Hervé s'offusqua que cet homme, qui savait toujours les nouvelles en premier, ose se permettre de lui dire ce qu'il avait à faire. Et pour prouver que personne n'avait à lui donner des ordres, il continua à fêter encore une bonne heure. En entrant chez lui, joliment rondelet, il trouva le médecin assis sur le bord du lit de sa femme, la grandeur de la pièce ne permettant pas d'avoir une chaise en permanence.

— Bonjour Hervé ! Tout va bien, mais le placenta tarde un peu à venir, dit le médecin. Vous avez une jolie petite fille.

Il jeta à sa femme un regard de mépris qui la fit frissonner.

— Tu m'avais pas donné la bonne date ! dit sèchement Hervé à sa femme.

Et avant même qu'elle puisse seulement oser prendre la parole, son regard se posa sur le médecin, qui riait à pleins poumons en ignorant toutes les conséquences de la portée de son rire.

— Mais voyons Hervé ! Un bébé, c'est pas un cadran ! Tu devrais bien le savoir.

Cette mise au point fit en sorte que Laurette se sentit plus vulnérable que les poux cachés dans les coutures de la combinaison de laine de son mari. Elle savait très bien que toute remarque venant de l'un ou de l'autre risquait de se retourner contre elle, car il était incontestablement le maître des lieux.

En me voyant, il s'écria que je ne pouvais pas être sa fille. Puis, dans un geste de dégoût, il me fit tournoyer en disant qu'il allait se débarrasser de moi. Le médecin leva la voix et ordonna à Hervé de se calmer :

— Si tu veux pas aller dormir en prison, pis tout de suite à soir, tu vas te calmer. Pis si jamais ça tourne mal pour ta femme ou le bébé, tu peux compter sur moé pour te faire coffrer ! Pis oublie pas, y a déjà un doute qui plane sur toé, ne l'oublie jamais !

Pendant que Laurette sanglotait de désespoir devant Francine qui était allée la rejoindre comme pour la protéger, le placenta se présenta dans un inquiétant flux de sang. Et le médecin ordonna aux garçons de veiller sur nous deux pour le reste de la nuit.

Je suis Catherine, voici le combat de ma vie qui débute en ce temps où l'hiver prenait d'assaut l'Abitibi vers la fin d'octobre que pour mieux isoler ses solitaires habitants, à une exception près : mon père. Rien ni personne ne pouvait l'arrêter longtemps, sauf parfois la distance ou un écœurant de *foreman,* comme il disait souvent. Il fallait, en effet, une force majeure pour l'obliger à passer plus de temps dans les chantiers que son organisme semblait pouvoir accepter : la bouteille et les créatures l'appelaient vers la civilisation, c'est-à-dire la ville.

Le lendemain matin, un peu honteux, il envoya les garçons acheter quelques friandises au village, espérant ainsi se faire pardonner. Il joua à faire semblant de n'avoir aucun souvenir de ses mots et gestes à tout jamais inscrits à la fois dans le cœur et la tête de sa femme.

Une semaine plus tard, il regagna les chantiers pour en revenir une fois de plus ivre mort deux jours avant Noël. Mon père ne revenait pratiquement jamais sur ce qu'il avait balayé du revers de la main : pour lui, je n'ai jamais véritablement existé. J'ai donc appris à avoir peur de lui très jeune, et probablement à le regarder par en dessous comme le font tous les enfants à la recherche d'un dû non acquis.

De l'automne au printemps, mon père ne séjournait jamais très longtemps à la maison, mais quel enfer lorsqu'il était de passage. Lorsqu'il entrait dans la maison, personne ne semblait avoir le droit de dormir. Il était chez lui et il y avait toujours quelque chose pour l'indisposer : ses cris de rage et de mépris étaient ahurissants et avant même que nous osions nous montrer, il avait commencé à nous maudire et à nous traiter des pires épithètes que son maigre vocabulaire contenait. Il frappait notre mère, cassait des chaises, renversait l'eau qui chauffait sur le poêle de la cuisine. Il y avait souvent de l'eau de pluie ou de neige que l'on faisait fondre et chauffer pour la lessive. Les longs tuyaux du boxstaus, que d'autres appelaient une truie, traversaient une bonne partie de la maison pour parvenir à la réchauffer et représentaient un danger permanent. Je me souviens d'une nuit d'hiver où je me suis rendue pieds nus chez un voisin pour réclamer de l'aide.

C'était pratiquement toujours le même scénario qui se déroulait. Il descendait du train à la gare de Makamik vers 14h, achetait quelques boîtes de bonbons multicolores au magasin général Tétreault, glissait ces dernières dans son havresac qu'il nommait *patsac*, se le hissait sur le dos et se rendait à l'hôtel. La beuverie commençait. Tard dans la soirée, il demandait à monsieur Filion de venir le conduire avec son autoneige, qu'on appelait alors à tort un *snowbombardier*. C'était le taxi hivernal de mon enfance.

Treize mois après ma naissance, un troisième enfant s'annonça en début de matinée et Laurette décida qu'elle pouvait se passer du médecin. Il faut dire qu'en ce 20 décembre, elle risquait de voir entrer mon père d'une minute à l'autre. Elle pensa qu'il serait peut-être plus indulgent si elle accouchait sans l'aide du médecin, mais rien ne se déroula comme prévu.

Laurette fut d'abord assistée par les filles aînées, mais la peur s'empara rapidement d'elles. Francine, l'une des aînées, courut demander de l'aide à madame Lambert. Cette dernière se rendit auprès de Laurette, mais après quelques minutes, avoua se sentir trop mal et réclama qu'on aille chercher une autre dame et le médecin. En tenant les chevaux au galop, il fallait compter plus d'une heure avant d'espérer le voir arriver, en supposant qu'il fut bien chez lui et la fameuse machine à neige sur place.

Entre-temps, Laurette se mit à pousser sans aucun contrôle d'elle-même, assurant aux filles que le bébé allait venir d'une minute à l'autre. Mais tous ses efforts ne menaient nulle part, et la maison surchauffée depuis des heures afin de bien accueillir le bébé la tenait en nage. Elle comprit que l'enfant ne pouvait pas naître normalement et que, même si le médecin finissait par arriver, il serait trop tard pour une césarienne. Elle demanda à l'une des filles de lui donner le crucifix suspendu à la tête de son lit. En la voyant le presser fortement sur sa poitrine, les filles comprirent qu'elle se préparait à mourir. Et de nouveau, on alla réclamer de l'aide à la famille Lambert parce que madame Lambert était retournée chez elle quelques minutes, prétextant qu'elle allait tomber en défaillance. Ce que peu de gens savaient à ce moment-là, c'était que cette femme supportait difficilement la vue du sang et la souffrance.

— Venez vite, madame Lambert ! Madame Bastien arrive pas ! Le docteur non plus ! Maman va mourir ! cria Francine en sanglotant.

— C'est pas un accouchement normal, dit madame Lambert. J'ai jamais vu une pareille journée, y a pas personne pour l'aider. Vas-y toi, dit-elle en regardant son mari. Tu l'sais que j'ai peur de ça les accouchements !

— Tu y penses pas, t'es déjà passée par là, tu devrais avoir le courage de lui tenir au moins la main.

— C'est pas le temps de discuter ! T'as compris, la petite dit qu'elle est après mourir. J'vais y aller avec toi !

— Si son mari apprend ça, on va avoir l'air fin. Pis tu peux compter sur certains des gars pour lui dire ! Y'é jaloux comme un pigeon !

— Ben voyons donc ! On parle pas d'une sortie galante ! C'est un accouchement anormal, j'vais rester sur le bord de la porte. Viens ! T'as déjà sauvé des génisses, tu dois bien pouvoir faire quelque chose pour elle !

— C'est pas pareil !

— T'as raison, y s'agit de la vie de notre voisine. Enfile ton *coat* ! Pis avance !

Le long travail avait épuisé Laurette, et elle n'arrivait plus à pousser suffisamment pour permettre au bébé de faire son chemin. Monsieur Lambert se rendit avec Francine auprès de Laurette. Il réalisa en effet qu'elle poussait sans aucun résultat et qu'elle était au bout de ses forces. Il se mit alors à pousser sur le haut de son ventre avec énergie en lui demandant de forcer encore plus fort. Sous la forte pression, ses eaux se rompirent et la tête de l'enfant s'engagea vers la vie, en ce 20 décembre. Elle était sauvée et mon jeune frère Hubert aussi. Le médecin arriva près d'une heure plus tard. Il constata l'immense faiblesse de l'un et de l'autre, et il demanda à madame Lambert de demeurer sur place afin de bien veiller sur elle toute la nuit.

— Je lui ai donné une injection, elle devrait dormir quelques heures. Le bébé est faible, surveillez-le bien, vous lui donnerez le sein. C'est son troisième, elle devrait vite se rendormir. J'ai peur qu'elle fasse une hémorragie, faudra lever les couvertures de temps en temps pour vérifier. Certains vaisseaux ont pu se rompre. De plus, si son mari est descendu… y va falloir la protéger. Je compte sur vous tous. Pour tout de suite, j'ai besoin d'un gars ou deux pour installer des bouts de madriers sous le pied de son lit. Vous devez bien avoir ça dans le hangar. Vous féliciterez votre mari. Sans lui, elle serait déjà morte, dit-il à madame Lambert avant de partir.

Mon père apprit la nouvelle deux jours plus tard en arrivant à l'hôtel, et lorsqu'il entra à la maison, ce fut pour traiter Laurette des épithètes les plus vulgaires que son vocabulaire pouvait contenir. Selon ses dires, elle avait couché avec cet homme. Il n'y avait pas de doute, un homme n'aurait jamais osé faire une telle chose autrement. À partir de ce jour, il voua une haine incommensurable à ce voisin qui avait osé entrer dans sa chambre et aider sa femme à accoucher: pour lui, il aurait mieux valu qu'elle meure. Chaque fois qu'il prenait un verre, il la maudissait de l'avoir soi-disant déshonoré avec cet homme. Il terminait toujours en disant qu'il lui souhaitait de mourir brûlée pour payer ce qu'elle lui avait fait!

Tenant compte de son âge, mais surtout des circonstances, Laurette espéra un court instant avoir complété sa famille. Mais huit mois plus tard, elle réalisa qu'elle était pour la quatrième fois enceinte. Une petite fille, pour qui mon père a toujours voué un amour extraordinaire, est venue clore la famille en mai l'année suivante. Elle était selon ses dires belle et intelligente. Clarice par surcroît était blondinette, donc un peu différente. Elle avouera, plus de cinquante ans plus tard, avoir passé son enfance dans l'horrible peur de retrouver notre mère morte.

— Chaque fois que j'me r'trouvais dans ma couchette, incapable d'en descendre, pis que j'entendais des cris, je m'endormais en espérant mourir, pour pas voir maman morte.

Quand je remonte le temps, je me dis que notre enfance (à nous quatre) a majoritairement été un enfer. Nous étions pour l'ensemble de la maison des jeunes fatigants, énervants, braillards, et notre mère aux yeux des grands semblait n'avoir jamais le droit de nous cajoler, de nous consoler et de nous démontrer librement son amour. Tout devait se passer à l'abri du regard des grands. Certains semblaient être continuellement à la recherche du petit détail pour nous ridiculiser, nous écraser, nous bafouer, nous faire pleurer, nous faire peur. Quand ce n'était pas nous qu'ils ridiculisaient, c'était notre mère. Pour certains, c'était une insignifiante qui ne connaissait rien.

— Faut ben venir de Montréal pour rien connaître. Faut ben venir de Montréal pour mettre du linge rouge sur le dos des jeunes. Si j'avais pas été là, le coq t'aurait tuée!

On semblait toujours avoir quelque chose de blessant à dire. Dieu que j'ai vu souvent Laurette, ma mère, pleurer de ce manque de respect et de civisme.

Certains se sont amusés à tenir mon jeune frère à bout de bras durant des heures, ou à le lancer dans les airs. Ils trouvaient cela drôle parce qu'il avait terriblement peur et qu'il criait comme un perdu. Et lorsqu'il a commencé à bégayer, ils ont trouvé cela encore plus comique. Ses maux de tête quasi continuels sont venus rendre encore plus tragiques et sa vie et la nôtre. Nous, les jeunes, et maman avons essayé de l'entourer et de le protéger de notre mieux, mais le mal était irrémédiablement fait.

Mon frère aîné, pour sa part, m'a toujours semblé faire son chemin seul, à se débrouiller et à ne rien attendre des autres. Il s'occupait, sculptait le bois, travaillait à faire des skis, allait étendre des collets: il n'arrêtait jamais. Il donnait facilement et il a toujours continué ainsi! Je pense qu'à lui aussi, on a volé sa confiance, et tout ce qu'il a donné alors qu'il aurait dû le garder pour lui, c'est l'espoir d'être aimé par ceux et celles qui auraient dû pourtant le faire inconditionnellement. Si ce n'est pas parce qu'on lui a dérobé sa confiance, je me demande bien ce que ça peut cacher. Je ne l'ai pas souvent vu pleurer, mais lorsque je regarde sa longue vie de travail acharné, lui qui a toujours fait passer les autres en premier, je pense qu'il doit parfois avoir envie de le faire.

Seule ma petite sœur est parvenue à passer sans trop se faire blesser à travers l'enfer de notre enfance. Elle a et elle a toujours eu confiance en elle. Bravo petite sœur!

Revenu de l'Inde au printemps 1950, Roland passa une bonne partie de l'été avec Laurette en Abitibi, et refit la même chose en 1951. Lors de ses séjours, il se promenait d'un endroit à l'autre, dormant parfois au presbytère. À cette époque, ça semblait s'inscrire dans une espèce d'obligation. Il présentait souvent des petits films, tournés au cours de son séjour en Inde, montrant la vie de ce peuple sur un peu tous ses angles. Grand amant de musique, il filmait les fêtes et les chants lors d'une bonne chasse ou d'un mariage. Le mariage était souvent arrangé dès la naissance de la petite fille, et on la présentait voilée lorsqu'elle avait à peine douze ans à un homme en âge d'être son grand-père. Les funérailles hautes en couleur aux sons d'espèce de tam-tam et de langoureux chants ne laissaient personne, à cette époque, dans l'indifférence. Mais pour nous, les enfants, ce que nous trouvions le plus amusant, c'était surtout de voir les personnages y marcher démesurément.

Après chaque représentation, Roland commentait les images passées et répondait à toutes les questions, en recueillant un peu d'argent pour les missions. Il ne semblait jamais se lasser de parler de l'Inde, et Laurette ne se lassait pas de l'entendre. Elle était fière de son frère. Pour la grande majorité des spectateurs, c'était la première fois qu'ils voyaient, dans ce qu'on appelait les petites vues, des femmes avec les seins nus.

— C'est comme la peau du nez en plus long. On s'habitue vite, y a rien de sexuel ! rétorqua-t-il avec aisance à certains des hommes qui tentaient de sous-entendre que ça devait être « le fun » de vivre là !

Ce fut deux beaux étés à entendre parler de l'Inde, mais surtout de la famille, de notre famille. Mon oncle, frère Gilbert alias Roland, avait toujours un petit quelque chose à donner : médailles, images religieuses avec prières à l'endos, etc. Je pense que je n'avais jamais vu ma mère recevoir des petits présents, et être aussi heureuse. Parfois, elle pleurait en entendant des nouvelles de l'un et de l'autre, mais ça semblait tellement doux à son cœur. Et lorsque, ensemble, ils se mettaient à rire aux éclats, c'était presque contagieux.

— Au fait, y faut que j'te compte quelque chose avant ton départ, dit Laurette. Tu vas rire de moi, mais c'est pas grave. L'automne passé, j'me suis réveillée vers 4 h du matin. J'entendais la chaise berçante, et j'ai pensé que Paulo devait filer mal, y s'était bourré la face, comme on dit, dans le lard chaud au souper. J'me suis dit qu'y avait peut-être besoin de quelque chose, pis comme je sortais de la chambre, j'ai entendu la clenche de la porte. En arrivant dans la cuisine avec ma lampe, je l'ai vu arriver.

— Vous êtes malade, la mère?

— Non, c'est toi, qu'est-ce que tu fais debout à cette heure-là? T'arrives de dehors? Pis pourquoi que tu te berces au milieu de la nuit? Avec le vacarme que la chaise fait!

— Ben voyons, c'est pas moé, c'est vous! Y a un des enfants de sorti, c'est comme rien. Ben non, le couteau est à sa place!

L'un comme l'autre avait entendu la même chose.

— Ici, on a toujours barré la porte avec un couteau. Trois semaines plus tard, Georgette m'a annoncé dans sa lettre que la belle-mère était décédée. C'était la même nuit. J'ai pas fait chanter de messe! Mais je lui ai pardonné.

— C'est l'essentiel.

— Envoye, ris de moi!

— Non, j'te crois. On peut pas faire du tort aux gens sans jamais avoir de factures à acquitter.

Roland apprit un peu malgré lui, lors de ses séjours, à connaître son beau-frère et la situation dans laquelle sa sœur devait évoluer. Et lorsque mon père exagérait trop en sa présence, il savait avec doigté et un calme extraordinaire le rendre un peu ridicule, en retournant ses propos contre lui, apaisant par le fait même les tempêtes. C'était bien.

— Heureusement que le bon Dieu m'a donné des bons enfants, j'aurais jamais été capable de tenir le coup autrement, lui dit-elle, la larme à l'œil, au moment de son départ.

— J'aurais aimé rester plus longtemps, mais je dois faire une retraite avant de quitter le Canada. Pis y a une petite fête que j'peux pas manquer, c'est moi le fêté!

Roland retourna ensuite en Inde, et Laurette reçut une lettre par avion quelques semaines plus tard. Il était de retour dans ce pays qu'il considérait comme le sien! Il reprit son travail de directeur d'école et ses nombreuses tâches. Laurette, qui écoutait toujours les nouvelles internationales, vivait les hauts et les bas de l'Inde, comme si sa charge n'avait pas été suffisante.

Au cours de ses années passées en Inde, Roland apprit à baragouiner une bonne dizaine de dialectes et à parler couramment plusieurs langues. Difficile à croire, mais du nord au sud et de l'est à l'ouest, il y a tellement de différences sur le plan du langage que les gens ont peine à se comprendre. Durant son long séjour, il a été tour à tour superviseur de rizières, de plantation de café et de thé. Il a enseigné dans des abris de fortune, dessiné des plans architecturaux et travaillé à la construction d'écoles, avec souvent que les matériaux de base, surtout de la boue. Ces écoles étaient construites d'abord pour les garçons, et ensuite pour les filles. Professeur pendant de longues années à l'école de garçons, il y enseigna maintes disciplines : langues, mathématiques, menuiserie, agriculture et, bien sûr, la bonne humeur.

Chapitre V
La puissance des mots

Il m'a toujours été difficile de définir mes sentiments à l'égard de mon père. Sans l'aimer, je ne peux pas dire que je le détestais. Je portais sans doute, comme tous les enfants, trop d'espoir pour atteindre ce niveau. Le mot *peur* serait sans doute plus exact. Une chose est certaine, la subtilité entre les deux se confond parfois. Et à vivre trop longtemps dans cette ambiguïté, on risque de devoir un jour ou l'autre se battre contre certaines séquelles.

Mon père a toujours beaucoup parlé, mais seul, sans jamais s'arrêter à la valeur des mots ni au drame que ces derniers pouvaient semer autour de lui. Il criait. Il exigeait. Il ordonnait. Il réclamait. Il menaçait. Il marmonnait. Il bluffait. Il racontait. Il sacrait. Il maudissait. Il chantonnait, mais ne parlait pratiquement jamais. J'entends, par parler, le fait d'avoir une interaction avec une autre personne. Quand je ressasse les images du passé, je ne retrouve aucun souvenir qui permettrait de s'approcher d'un quelconque temps de silence. Je ne peux même pas dire qu'il était silencieux lorsqu'il dormait, parce qu'il continuait à froncer les sourcils, à grimacer, à gesticuler, à serrer les poings et à ronfler. Et lorsqu'il ne pouvait plus leurrer personne d'autre que son ego, selon ses répliques, il se mettait à rire ou à pleurer. Lorsqu'on est enfant, rien n'est plus difficile que de voir pleurer un adulte qui fait partie de sa vie.

Que de saisons il m'a fallu pour comprendre pourquoi ma mère finissait toujours par se mettre à rire après avoir pleuré à chaudes larmes. De cette façon, elle faisait éclater le bulbe de douleur, nous amenant ainsi à décompresser. Tout au long de mon enfance, l'équilibre paternel n'a jamais donné sens à ma vie. Il m'a fallu rapidement apprendre à discerner le possible de l'impossible, le réel dans l'irréel, le peut-être dans l'exagération, etc. Je me souviens d'un jour : mon père marchait derrière ma mère avec une scie à viande dans les mains, en disant qu'il allait lui couper le cou. Je suivais la scène par une fente de garde-robe, totalement paralysée par la peur. Seule mon imagination fonctionnait et, idiotement, je me demandais si l'humain, comme une poule, continuait à marcher et à courir aussi longtemps que le corps contenait du sang. Je devais avoir deux ou trois ans, et ces images idiotes engendraient des peurs qui risquaient de me marquer.

— Voyons, Hervé, réfléchis ! Qui va prendre soin des enfants, pis de ta maison ? dit un inconnu que mon père avait ramené avec lui à la maison.

— C'est juste une farce ! répondit mon père en riant.

Selon moi, ma mère venait d'avoir la vie sauve grâce à un étranger, et à une simple phrase. Je découvrais soudainement toute la puissance des mots. Le temps s'est chargé de me faire connaître ceux qui blessent, ceux qui font peur, ceux qui consolent et ceux qui nous aident à aller parfois au-delà de tout espoir.

Mon père ramenait rarement des passants de grand chemin à la maison, comme on disait à l'époque. Il était cependant superstitieux. Et si jamais l'un d'eux laissait planer un doute de vengeance de la main divine, il était prêt à se plier en quatre si nécessaire. Pour lui, un inconnu pouvait représenter aussi bien Dieu que le diable en personne, et son idée devait être prise en considération, car la malédiction pouvait à tout instant tomber sur sa maison, sur lui… Couteaux croisés, miroir cassé, un oiseau qui se heurtait à un carreau de fenêtre, une étrange flamme dans le poêle : pour mon père, tout devenait un quelconque signe.

Durant mon enfance, les histoires semblaient être du ressort des hommes. Elles tournaient généralement autour d'un cheval noir ou blanc, n'obéissant qu'à un seul homme vêtu de noir et portant des gants blancs.

Il y avait de quoi faire frémir même les hommes les plus endurcis. J'ai dit précédemment que mon père ne parlait pratiquement jamais, mais à l'occasion, sous forme de contes, il racontait de fabuleuses histoires sur son père. Selon lui, ce dernier voyait le diable, et vers la fin de sa vie, il disait converser avec lui lors de sa marche quotidienne. Personne d'autre ne le voyait cependant, ni ne voulait le voir!

De passage dans le coin, le jeune bohémien qu'était alors le futur peintre Marc-Aurèle Fortin eut vent de cette histoire. Et il alla demander à mon grand-père de lui donner l'hospitalité et la possibilité d'avoir le papier nécessaire pour peindre. En guise de paiement, il s'engagea à peindre cet inconnu à travers ses descriptions.

On doit se souvenir qu'à cette époque, tous les foyers étaient ornés de statuettes en plâtre, d'images saintes et de multiples calendriers de reproductions religieuses. C'était la principale richesse ornementale dans la majorité des maisons. Seule une certaine élite connaissait de renommée quelques grands peintres et écrivains. Un grand nombre de personnes étaient cependant abonnées à *L'Action catholique*, *La Presse*, *Le Soleil*, *La Frontière* et aux *Annales de la bonne Sainte-Anne de Beaupré*. Même à travers tout ça, il faut bien avouer que la majorité n'avait pas le sens artistique très développé. Seul le folklore semblait avoir véritablement sa place et, pour la majorité des gens, il n'y avait que mon grand-père d'assez idiot pour ouvrir la porte à ce qu'on appelait alors un *faiseux* de dessins. Bon nombre de gens dans la famille ont essayé de faire comprendre à Fortin que l'abus d'alcool avait fait perdre la tête au grand-père et qu'il n'était pas bien d'accorder autant d'importance à ses élucubrations. Mais fort de l'appui du grand-père et conscient que du haut de ses quatre-vingt-dix ans, ce dernier représentait toujours la sublime autorité au sein de la famille, Fortin continua à ne pas s'arrêter aux remarques formulées autour de lui. Il n'était pas question de se laisser intimider par des gens à peine plus vieux que lui.

À la mort du grand-père, la jeune belle-fille qui s'occupait de la maison se chargea de détruire la majorité des croquis. Ces derniers représentaient surtout la petite route sinueuse et certains gros arbres crochus du rang. Fortin demeura sur les lieux un certain temps, mais à titre d'homme à gages. Privé de papiers et d'appui moral, il entreprit dans ses rares temps libres de peindre sur la vieille tapisserie fleurie des murs de sa chambre. Il y refit quelques paysages, mais n'ayant plus assez de temps pour poursuivre son rêve, il quitta la région en disant qu'il allait y revenir un jour.

Fait étrange, il est revenu terminer ses jours dans un centre hospitalier situé à quelques centaines de mètres du lieu demeuré quasi intact. J'ai eu longtemps l'impression que seule la maison paternelle manquait au décor, en ce lieu où le temps semblait s'être un peu arrêté.

Selon mon père, Fortin a refusé de faire un pacte avec mon grand-père, ce marché devant le rendre riche et célèbre. Il est mort pauvre et oublié, comme bien des artistes. Ces toiles valent pourtant une petite fortune. Je sais qu'aucun écrit ne relate le passage de Marc-Aurèle Fortin à Makamik à ses débuts, mais cela ne signifie pas qu'il n'y a jamais vécu. Pour ma part, il s'agit de bouche à oreille, et j'y crois.

Quand je regarde derrière moi, je me dis que mon père a été un semeur de doutes : pour Fortin, ma mère, moi, Catherine, ressemblant selon son dire à un voisin à cause de mes taches de rousseur, pour mon jeune frère, et probablement pour bien d'autres ! Avec le temps, j'ai compris que le doute est une espèce de bailleur de fonds psychologique. Si l'adulte savait à quel point les enfants sont vulnérables, même parfois sous leur carapace d'indifférence, il les envelopperait d'amour, d'ouate et de tendresse infinie afin que devenus adultes, ils soient forts de ce bagage reçu.

On oublie trop facilement que le négativisme engendre la méchanceté et que cette dernière fait souvent appel à la cruauté mentale. Pour survivre à l'indifférence pendant ces années-là, j'ai dû me convaincre que j'étais quelqu'un de bien. Il m'a fallu remonter dans chaque saison de ma vie, afin d'extirper de ma mémoire le souvenir de cet homme qui proclamait si souvent qu'il allait nous tuer avec notre mère. Il allait faire le ménage dans la cabane !

Il me semble l'entendre encore après toutes ces années, le poing en l'air, les yeux vitreux que j'associais à de vulgaires crachats, criant tantôt sa haine tantôt sa chance d'avoir une femme aussi remarquable. Maudissant ma mère un jour, se masturbant dans la porte entrouverte au beau milieu de l'après-midi le jour suivant : « Laurette ! Laurette ! lui répétait-il d'une voix mielleuse, viens icitte ! »

Elle finissait toujours par aller le rejoindre, laissant en suspens son énorme tas de pantalons ou de chemises à repriser. Elle n'avait pas tellement le choix : il s'exhibait sous nos yeux, jusqu'à ce qu'il obtienne ce qu'il voulait. Elle allait faire son devoir !

Calmement, paisiblement, des bleus autour des yeux, un œil qu'elle n'arrivait souvent pas à ouvrir durant des jours, sinon des semaines, et les bras meurtris. Car ma mère portait jour après jour dans sa chair une gamme infinie de couleurs : vermillon, jaune, bleu, vert, violet et noir, chacune de ces couleurs allant du pastel au foncé. Elle referma la porte derrière elle.

Elle m'a souvent semblé trop passive, trop résignée, trop soumise ! La cuisine, la vaisselle, la lessive, la couture, que de mots féminins qui semblaient me dire qu'elle avait peut-être raison, mais je ne parvenais pas à comprendre qu'elle puisse accepter ces choses ! Que les enfants sont naïfs dans leur candeur, surtout les filles : elles s'imaginent toujours détenir la solution aux problèmes existentiels. C'est tellement facile de juger de l'extérieur. La vie se charge parfois de nous le faire comprendre.

Je peux dire en toute honnêteté que mon enfance s'est majoritairement passée dans un flot de paroles et de gestes abjects de la part de mon père et de certains de mes demi-frères, qui semblaient croire à certaines heures que notre père était un modèle à suivre.

Je pense que de toute ma vie, la seule chose que j'ai partagée avec lui, c'est l'amour des chevaux. Personne, probablement à des lieux à la ronde, n'en possédait d'aussi beaux. Jour après jour, il était à la recherche de la plus belle bête du comté et toujours prêt à y mettre le prix nécessaire. Son principal vendeur était un monsieur Deschênes. Cet homme possédait une grande écurie, et il achetait souvent en vrac tous les chevaux en provenance de tel ou tel chantier à la fermeture de ces derniers. L'un comme l'autre ne semblaient avoir qu'une seule idée en tête : prouver sa supériorité en réussissant le meilleur marché. Ce fut le seul et unique sport de mon père et, contrairement à ce qu'il proclamait après chaque échec, il finissait toujours par y retourner. En fait, à chaque nouvel arrivage, on pouvait être certain de posséder de nouvelles bêtes. J'ai appris à les aimer, sans toutefois trop m'y attacher. On ne pouvait jamais prévoir à quel moment il allait se permettre d'en troquer un contre un autre.

Si mon père parvenait toujours à trouver de l'argent pour boire et acquérir de nouveaux chevaux, cela ne veut pas dire que ma mère pouvait acheter librement le tissu nécessaire à la confection du linge de la famille. Non. Elle devait très souvent magasiner dans un magasin ambulant de seconde main, et la majorité du temps tout refaire ! À ma connaissance, ce fut tout d'abord dans les boîtes de Marcus Abraham, un légendaire personnage qui allait de porte en porte offrir du rêve et de la nouveauté. On trouvait de tout dans son chariot, et on pouvait lui demander presque n'importe quel article pour son prochain voyage.

Je me souviens que nous, les jeunes, comme la majorité des membres de la famille nous appelaient, nous avions une peur bleue de cet étranger. Et pour s'amuser de notre naïveté, nos demi-frères nous racontaient que ce vieil homme volait et vendait aussi des enfants. Comme il parlait aussi bien en anglais qu'en français, j'imaginais que ça ne pouvait être que la vérité ! Heureusement qu'il ne venait pas très souvent. Il faut dire qu'il faisait le tour de la province, troquant souvent gîte et pitance contre un article indispensable. Il gagnait honnêtement sa vie. Ses cheveux blancs et ses cent ans inspiraient le respect. On a dit à son décès qu'il avait cent vingt-cinq ans. Légende ou réalité ?

Avec l'ère de la technologie, ce fut au tour de monsieur Gravel de venir s'implanter dans le coin. L'entrée de son magasin avait un quelque chose de magique. Une fois les grandes portes arrière ouvertes, nous avions la possibilité de tout essayer, si le cœur nous en disait. Il y avait de tout : de la débarbouillette au tailleur. Et l'argent ne semblait jamais être un problème majeur : il pouvait avoir besoin d'une douzaine d'œufs, d'un pot de marinade ou de confiture. J'ai même déjà vu ma mère faire du raccommodage à certains de ses morceaux, histoire pour lui de les vendre plus cher. Il y avait aussi le petit calepin noir…

Puis ce fut au tour de ma mère de se lancer en affaires. Elle se mit à fabriquer du bleu à laver liquide ! Que de bouteilles à remplir avec une belle étiquette indiquant fièrement ses nom et adresse ! Messieurs Gravel et Legeault, des distributeurs d'eau de Javel qui parcouraient aussi la région, furent ses deux gros vendeurs. La maison connut l'ère de propreté parfaite, le javellisant et le bleu à laver donnaient fière allure à nos vieux torchons et linges à vaisselle. Ma mère ne tarda cependant pas à réaliser que lorsqu'on fait à peine 10 ¢ de profit par bouteille, en raison des cadeaux, des distributeurs et des accidents, au bout du compte, ça ne fait pas épais dans le porte-monnaie.

Même après le plus rude hiver, le printemps revient toujours chargé de promesses et d'espoir. C'est un peu avec cette pensée philosophique de vie que ma mère vit arriver les années 1950. L'ère de l'autonomie et de la modernisation semblait de prime à bord présager une possibilité d'années meilleures! Par la force des choses, Laurette avait appris à manipuler aussi bien la hache que le marteau et les ciseaux. Elle avait sans doute compris que moins on a d'attentes, moins on risque d'amères déceptions.

Sur la ferme, une espèce de transfert de pouvoir s'était faite. Nous étions devenus assez grands, voire vieux, pour contribuer à la traite des vaches et à l'entretien des animaux de la ferme. Nous secondions notre mère avec un jeune homme un peu attardé, ce dernier travaillant principalement pour le gîte, le couvert et l'habillement. En fait, c'était un peu la mode du temps que d'embaucher sous la recommandation du curé un de ces garçons, et de le faire participer aux corvées familiales. Dans l'exagération religieuse de l'époque, on occupait leur esprit afin que le mal ne vienne pas les habiter. Il fallait le protéger dans tous les sens du mot, le vêtir convenablement et l'endurer charitablement. Je me souviens que maman rageait parfois en le voyant courir par terre avec un de mes frères sur le dos, imitant le hennissement d'un cheval en liberté. Pour nous, c'était la plupart du temps amusant de pouvoir jouer avec un homme enfant. Je dis la majorité du temps parce qu'il lui arrivait quelquefois de réclamer un jouet que nous n'avions pas envie de lui céder. Maman devait souvent agir en arbitre, mais lorsqu'il s'agissait de faire débouler du foin de la tasserie, on découvrait que même s'il avait la tête d'un enfant, il possédait la force d'un homme.

Le soir venu, il se valorisait en nous faisant toucher ses biceps. Selon ses dires, c'était un homme ! Il pouvait pourtant pleurer deux minutes plus tard pour une peccadille. Jusqu'à un certain point, par son côté énigmatique, il ressemblait à mon père. C'était un personnage difficile à cerner, sur lequel on ne devait pas trop compter : une charpente qui pouvait s'écrouler sans préavis ! Inconsciemment, je découvrais le positif et le négatif, le noir et le blanc, ce bagage qui fait partie intégrante de l'humain avec plus de rugosité parfois chez certains que chez d'autres.

Jetant un dernier coup d'œil à l'extérieur avant d'aller dormir, nous pouvions facilement déduire, par la luminosité jaunâtre que l'arrivée de l'électricité avait fait surgir dans le rang, que des voisins devaient probablement jouer aux cartes, avec l'un ou l'autre. Je n'ai aucun souvenir de ces rencontres se faisant chez nous. Nous sortions rarement. Il valait mieux dormir tôt, on ne savait jamais ce que pouvait apporter la nuit ! Je traîne toujours ce fardeau : le moindre petit bruit dans la nuit me fait sursauter.

Le mariage de Géraldine fut à la fois ma première grande cérémonie, et ma première rupture aussi ! Un an plus tard, elle donna naissance à un petit garçon qu'elle nomma Réal. Puis, petit à petit, elle devint impatiente et intolérante. Elle pleurait souvent sans que je puisse en comprendre les raisons. Par ses agissements, j'avais un peu l'impression qu'en devenant femme, elle avait cessé d'être ma sœur, et j'en souffrais. Par la suite, j'ai réalisé que dans la maison, lorsqu'on parlait d'elle, certains chuchotaient, tandis que d'autres cherchaient un coupable. Ma mère, comme toute belle-mère, fut même pointée :

— Ça doit être son supposé médicament qu'elle avait laissé pourrir sur le bord de la fenêtre, répétait souvent un demi-frère.

L'un et l'autre tentaient de convaincre des membres de la famille de se rallier à eux pour que le blâme puisse être mis sur les épaules de ma mère. Devant l'impuissance de nos maux, il nous arrive souvent de chercher un coupable. Heureusement que pour d'autres, c'était comme quelque chose d'inscrit dans le grand livre du destin.

Je suis parvenue tant bien que mal à comprendre ce qui se passait en attrapant des bribes de conversation à gauche et à droite. Il faut savoir qu'on a longtemps gardé les enfants à l'écart de tous les bouleversements familiaux.

Il aura véritablement fallu plus de vingt-cinq ans pour que la vérité éclate enfin! En fait, Géraldine avait été très malade à deux reprises. La première fois, la famille était venue bien près d'être décimée. Une enquête avait révélé que l'eau du puits était à l'origine des problèmes de santé: un rongeur s'y était noyé. Souvenons-nous que le contour des puits a longtemps été fabriqué en simples planches. Ce n'était pas rare d'y trouver des lombrics, et c'était assez facile pour un rongeur qui avait élu domicile dans une cave de s'y rendre. Le puits était généralement le point de départ d'une nouvelle construction, donc à quelques pieds de la maison.

Mon père ne pardonna pas à Hortensia, sa première femme, de ne pas s'être aperçue que l'eau n'était plus potable. Selon lui, à cause d'elle, le doute avait plané sur son intégrité d'homme! Il partit pour les chantiers dans cet état d'esprit et à son retour, quelques semaines plus tard, alors qu'elle travaillait à mettre de l'ordre dans le haut de la petite maison, il l'a bouscula, lui faisant par le fait même perdre pied du haut des marches. À cette époque, où l'homme était le maître incontesté de ce qui se passait dans sa maison, on cacha l'affaire…

Quelques semaines plus tard, une mauvaise grippe amena le médecin à franchir le seuil de la maison. Hortensia fut hospitalisée le jour même avec trois de ses enfants, dont Géraldine, la petite dernière. Hortensia rendit l'âme moins de vingt-quatre heures plus tard. Elle était sur le point de mettre au monde son treizième enfant. Quatre heures plus tard, la plus âgée des trois enfants admis au centre hospitalier s'éteignit, elle aussi, emportée par la fièvre. Les deux autres passèrent à travers la bourrasque, mais au moment de leur départ, le médecin informa mon père et sa sœur qui l'accompagnait que ni l'un ni l'autre des deux enfants ne feraient probablement longue route. Géraldine fut adoptée le jour même par une de ses sœurs du côté paternel, qui n'avait pas eu la chance d'avoir d'enfant. En ce qui concerne l'autre survivant, il vit toujours, ses grandes sœurs s'étant occupées de lui.

Celui qui allait devenir mon père s'est donc retrouvé veuf vers le début de la quarantaine avec des enfants, des adolescents et de jeunes adultes. Ce ne fut rien, dans son cas, pour le ramener à une vie plus normale. L'alcool, présent dans sa vie depuis l'âge de dix ou onze ans, n'a fait que prendre plus de place sur sa trajectoire et le conduire vers une plus grande régression.

De mémoire, je dirais que nous étions la première ou la deuxième famille du rang à posséder un véhicule flambant neuf, comme on se plaisait à dire dans le temps. Il était joli notre petit camion Chevrolet rouge. Ce fut un véritable événement en soi. De tous bords tous côtés, les gens venaient admirer et toucher le poli de la belle carrosserie. Les hommes discutaient du nombre de chevaux, de sa rapidité d'accélération, du roulement du moteur et de la belle grosse liasse de piastres étalées fièrement sur le comptoir devant le vendeur par mon demi-frère, sous le regard satisfait de notre père.

— T'as dû *skider* (traîner des billots de bois avec un cheval) en enfant de chienne cet hiver pour pouvoir ramasser une pareille palette hein, mon jeune ! avait dit le vendeur.

Cette modernisation, même si elle n'était utilisée que du printemps à l'automne, apporta un énorme changement dans nos vies. Ce n'était plus nécessaire de se lever à 4 h le dimanche afin d'arriver assez tôt à l'église pour passer au confessionnal avant la grand-messe de 10 h. Il ne fallait surtout pas oublier qu'on n'avait pas droit à une seule goutte d'eau si on voulait aller communier. Et gare à ceux qui n'y allaient pas, ils risquaient d'alimenter les conversations de certaines bonnes dames.

L'effervescence qu'avait fait naître la venue du petit camion s'atténua assez rapidement. Même si Laurette reconnaissait cette acquisition comme bonne, sa joie s'était plutôt amoindrie, et elle ne tarda pas à rafraîchir la mémoire à ceux qui détenaient le pouvoir financier de la maison.

— J'pensais que vous en aviez assez de voir les morceaux de lard fourmiller au fond de la chaudière au milieu de l'été.

D'après c'que j'peux voir, j'me trompais ! J'ai l'impression qu'on va devoir se contenter du puits pour encore belle lurette !

La majorité des gens gardaient la viande cuite pour consommation rapide dans un seau avec couvercle, qu'on appelait chaudière. Cette dernière était ensuite descendue dans l'eau du puits à l'aide d'une grande corde. Comme température, c'était à peu près l'équivalent d'une glacière, mais il ne fallait pas trop s'y fier !

C'était occasionnel, mais cela arrivait. Cette vision répugnante vint leur faire réaliser qu'il aurait peut-être été plus sage de ne pas mettre tous ses œufs dans le même panier. Le bas de laine ne cachait plus rien ! Détenir un aussi beau camion, avoir autant de chevaux bien nourris, et devoir se contenter une année de plus du puits et des blocs de glace enterrés dans le bran de scie ne réjouissaient plus personne. Comme le printemps s'éternisait, les garçons décidèrent de profiter de la surface durcie de la neige, qui formait une espèce de croûte, pour aller faire du bois de chauffage, mais surtout de la pitoune. Il fallait offrir à Laurette son réfrigérateur. Il s'agissait pratiquement d'un symbole de fierté : l'honneur était en jeu ! Il fallait aussi faire voir aux autres que nous n'étions pas plus pauvres qu'eux !

Je me souviens d'avoir travaillé avec mes frères à enlever l'écorce des arbres, et pas seulement le samedi. Il faut dire que dans mon rang, comme dans bien d'autres sans doute, l'école débutait en septembre et se terminait rarement en juin. Pour certaines, c'était les grands froids, la peur, l'indiscipline des gars (que nous surnommions « les grands fanals ») de quinze ou seize ans que certains parents s'obstinaient à garder à l'école. Comme bien des mères donnaient naissance à un bébé sur le tard de leur vie et réclamaient l'aide de leurs filles, ces dernières devaient abandonner leur classe pour aller les aider. Il y avait aussi l'amour qui se pointait au moment le moins attendu ou le trousseau à finir. Le rêve de toutes les filles se résumait principalement à se trouver un mari, et comme seules les célibataires pouvaient enseigner, on ne pouvait jamais prévoir quand arriveraient les vacances ! Le milieu des années 1950 a heureusement étendu ce droit aux femmes mariées, mais si jamais l'une d'elles devenait enceinte, elle devait immédiatement quitter.

Il faut cependant dire que l'anarchie devenait parfois reine et maîtresse dans ces petites écoles qui regroupaient des élèves de la première à la septième année. Je me souviens que les grands garçons menaient parfois le bal, et lorsqu'ils décidaient que les jeunes devaient disparaître pour un certain temps, on devait rapidement s'habiller. C'était la récréation ! Nous n'avions qu'à traverser la route pour aller glisser sur la côte en face de l'école en utilisant son bon versant, celui qui risquait le moins d'amener des parents à se poser des questions. On suivait les instructions à la lettre, jusqu'à ce que l'un des garçons vienne nous dire que c'était l'heure de la lecture, et qu'il fallait vite faire nos devoirs.

En fait, la majorité des grands garçons venaient à l'école pour avoir du plaisir et se soustraire aux travaux de la ferme. Un jour où la température était très à la baisse, ils décidèrent de nous garder à l'intérieur de l'école par humanité sans doute. Après tout, ils appartenaient à de très bonnes familles.

— On va envoyer les jeunes en haut, décida l'un d'eux.

L'idée fut immédiatement acceptée par les autres. L'institutrice tenta bien, une fois de plus, de montrer qu'elle détenait le pouvoir, en criant :

— La boîte à bois est presque vide ! Si vous ne voulez pas travailler dans votre cahier d'écriture, remplissez-la !

— Excellente idée !

— Ouvre la boîte ! cria l'un des garçons en quête de sensations à un autre.

Il prit la maîtresse dans ses bras et alla la déposer dans la boîte en lui pesant sur la tête, pour parvenir à refermer le couvercle et s'asseoir fièrement sur la boîte. On aurait pu croire qu'il venait de brider un étalon sauvage. Si nombre de garçons s'amusaient un peu de la situation, pour les filles, c'était surtout le présage d'un possible futur : la vulnérabilité devant certains gros muscles.

— Astheure, c'est moi qui mène ! Compris les jeunes ? cria le meneur en pointant deux de ses amis. Vous prenez l'échelle, pis vous faites grimper les jeunes ! Habillez-vous les enfants, vous allez voir que c'est pas le mois de juillet en haut !

C'était effectivement très froid. Heureusement que la cheminée intérieure laissait un peu de chaleur en passant. Blottis les uns contre les autres autour d'elle, on se racontait des histoires morbides. La pièce et le peu d'éclairage aidant, on fantasmait en fanfaronnant.

Après un certain temps, un des grands venait nous rappeler que la récréation était terminée et qu'il fallait redescendre. J'ai envie de dire avec beaucoup de tendresse, et sans mots méchants, comme on disait alors, que certains semblaient même éprouver une certaine honte.

— Tiens-toi bien après moi, faudrait pas que tu tombes! Vous parlerez pas de ça, les jeunes!

Si pour moi, monter n'a rien d'un exploit, redescendre prend un tout autre visage, même aujourd'hui.

L'école ressemblait à une véritable petite ruche. La maîtresse, les yeux rougis, corrigeait calmement nos cahiers de devoirs en se replaçant la chevelure. Elle faisait pitié. Les grands remplissaient le cabanon et mettaient de la neige à fondre sur le poêle, en l'attisant un peu plus. Il fallait combattre le froid que le va-et-vient avait fait surgir. Le calme régnait. Certains balayaient, d'autres comptaient leurs petits chinois de l'œuvre de la Sainte-Enfance.

Plus nous détenions des images d'enfants de pays en voie d'évangélisation, plus nous semblions fins et bien vus par la maîtresse et par monsieur le curé. Ma mère, comme toutes les mères d'ailleurs, veillait à ce que chacun de nous fit figure honorable. Il fallait, en bons chrétiens, faire avancer rapidement nos petits protégés vers le ciel à coup de 25¢! Mais l'argent se faisait rare, et bon nombre d'enfants ne parvenaient pas à détenir autant de petits baptisés qu'ils le désiraient.

Personnellement, j'en détenais bien peu. Je faisais pourtant à l'occasion le fond de sacoche de ma mère... Ciel! Que j'ai gardé de mauvais souvenirs de ce temps où le chantage émotif s'auréolait de bonnes intentions!

C'était l'époque de l'obéissance, pour ne pas dire du silence. Il n'était pas question de raconter ce qui se passait réellement à l'école. Il ne faut pas oublier que la grande quantité d'enfants par famille faisait en sorte qu'il s'agissait presque toujours d'un frère, d'un cousin ou d'un proche voisin qui faisait de la misère aux institutrices. Dans mon enfance, l'oubli et le pardon semblaient être deux valeurs importantes. J'imagine cependant que certains ont fini par en connaître assez pour réagir, puisque toutes les familles se sont un peu mises à protéger les institutrices. La plupart des grands garçons se sont finalement retrouvés dans une étable ou un chantier, bref dans la véritable école de la vie. Par la suite, j'ai bien aimé certaines institutrices, qui semblaient aussi nous aimer. Mes plus beaux souvenirs vont vers Lucille. Avec elle, l'école était un agréable endroit d'apprentissage. Elle avait souvent des caresses dans le regard, elle riait facilement, mais jamais de nous. Je la trouvais tellement belle ! Je la rencontre parfois et je la trouve toujours aussi jolie et pleine de tendresse. Je pense qu'en grande partie, elle a été mon modèle.

En ce qui concerne les inspecteurs, ils venaient sans doute de trop bonnes familles pour pouvoir soupçonner la problématique des petites écoles de rang. Deux fois par année, il s'en pointait un pour vérifier si la maîtresse avait bien suivi le programme d'études du comité de l'instruction publique et pour vérifier les absences illégales. La loi gouvernementale permettait aux parents de garder leurs enfants s'ils invoquaient le bon motif : relevailles, semences, récoltes, aide financière. La visite de l'inspecteur n'avait rien de rassurant, et la majorité des maîtresses avaient aussi peur de lui que les élèves. Elles se gardaient donc de verbaliser les problèmes de discipline vécus au quotidien. C'était souvent le prix à payer pour ne pas perdre sa classe, son emploi et, par le fait même, son salaire.

Comme l'inspecteur devait souvent parcourir de longues distances, il se faisait aider par un commissaire demeurant dans la municipalité. Ce dernier s'annonçait à l'occasion en se donnant des allures de prestance, sentant le fond de tonneau, faisant deux pas devant, un derrière. J'avoue que comme modèle, c'était quelque chose d'impressionnant à regarder. Il était une notoriété dans le domaine scolaire. Voilà pourquoi j'ai gardé en mémoire le souvenir de ce printemps où j'ai participé à la corvée de bois qui permit à ma mère d'avoir son réfrigérateur au lieu d'apprendre sur un banc d'école.

Sur le chemin du retour, les arrêts permettaient aux chevaux de se reposer et à mes frères de vérifier les collets à lièvre. Comme les skis du traîneau adhéraient à la neige fondante, les chevaux devaient se cambrer pour arriver à repartir. Je trouvais cet excès de force spectaculaire! Les cristaux de neige scintillants au soleil sur les branches de sapins me donnaient à rêver, tandis que l'odeur des conifères du printemps exaltait mon odorat. Je me laissais impressionner par les petits ruisseaux qui débordaient de leur lit; ils me semblaient éclater sous le poids de la neige. Parfois, les chevaux défonçaient et calaient, et les garçons craignaient qu'ils ne se blessent avec des morceaux de croûte glacée.

— On aurait dû descendre plus vite, disaient-ils.

Un peu plus loin, c'était le champ, la fin des inquiétudes. Je fixais alors la fumée de la cheminée de la maison ou les sillons d'eaux noires qui surgissaient sous le passage des longs skis du traîneau. Et l'espoir que mon père ne soit pas revenu du village venait m'habiter. Si, pour moi, l'absence du père avait en soi un quelque chose à la fois de rassurant et de réconfortant, cela signifiait, pour ma mère, moins d'argent pour l'épicerie, les vêtements, etc. Il m'était difficile de comprendre qu'elle puisse avoir des attentes envers lui, qui ne comblait ses besoins qu'une fois sur dix et qui, chaque jour, reprenait la route de la liberté.

— Je dois faire ceci ou cela, disait-il alors, sans jamais combler le quart de ses promesses, qu'il ne se faisait pourtant qu'à lui-même.

Du printemps à la fin de l'automne, mon père restait au bord comme on disait dans le temps, au lieu de dire à la maison. Ma mère, tout en poursuivant ses travaux durant ces mois, allait quasi mécaniquement à la fenêtre à carreaux qui donnait sur le rang en direction du village. Elle semblait s'inquiéter de lui! Ne pouvant changer les choses, sans doute s'en remettait-elle à Dieu! Elle priait, semblant nourrir son âme de ce besoin d'espoir et, sans le savoir, elle me désarmait. Je sais aujourd'hui qu'intérieurement, je commençais à me comporter comme un homme: cette partie que la vie m'a obligée à apprivoiser pour survivre à l'enfer. Quand j'étais enfant, mon père, par ses agissements, est devenu le rival de mon bonheur, de celui de ma mère et de la famille.

Après ses foudres, les prières de ma mère accéléraient souvent d'une drôle de manière, tandis que de grosses larmes ruisselaient sur son visage. J'essayais parfois de la suivre, mais je n'y parvenais pas et, par pudeur, je m'éloignais un peu d'elle. J'imagine aujourd'hui qu'elle utilisait la prière comme catalyseur. Il m'arrivait à certaines heures de tenter de trouver du réconfort dans la prière, en espérant que Dieu prenne pitié de nous ! C'était pour moi difficile, puisque je le voyais comme un vieux bonhomme se prélassant sur les nuages et s'amusant de nos misères. J'ai mis du temps à me défaire de cette image négative de notre père céleste. En fait, je me demande si je n'ai pas découvert mes premiers jalonnements de spiritualité en m'amusant à attraper des têtards ou à admirer les patineuses qui se prélassaient sur l'eau d'un petit étang. Ce dernier était situé sur un coteau pas tellement loin de la maison : ce fut mon refuge autant psychologique que physique. J'avais l'impression qu'en ce lieu, le temps n'existait pas et que je pouvais y échafauder tous les rêves possibles et impossibles ! Je pouvais aussi admirer les chevaux dans le pacage, tout en écoutant le son quelque peu plaintif du vent. La magie de ce son venait-elle d'une certaine situation géographique ou de mon imaginaire ? Qu'importe, j'avais l'impression qu'en ce lieu tout pouvait devenir possible, et si jamais ma mère me réclamait, je pouvais l'entendre. Même lorsque nous sommes enfants, je pense que nous savons déjà où aller chercher dans l'imaginaire ou le réel ce que la vie, pour une raison ou une autre, ne nous donne pas. Personnellement, j'ai besoin de la nature, de son silence et de ses bruits.

Généralement, le lendemain d'une forte crise, mon père filait doux, comme disait ma mère. Mais pour moi, il se faufilait telle une couleuvre ! Car pour lui, les mots et les gestes abjects de la veille semblaient toujours s'être volatilisés. Et ma mère me donnait l'impression que c'était la meilleure chose à faire, alors que selon moi, tout incitait à la haine et à la révolte. Sans doute se devait-elle de rester calme, afin de nous façonner à une meilleure réalité. Lorsqu'au milieu de la tempête la barque tangue, ne vaut-il pas mieux puiser en soi la force de ne pas laisser paraître son désarroi ?

Chaque fois que mon père n'était pas de retour à la maison pour le souper, maman nous faisait coucher tôt. Elle savait que notre sommeil risquait d'être interrompu. Je me souviens tout particulièrement d'un soir alors qu'on se préparait à aller au lit et qu'on s'attendait à le voir entrer avec son air habituel. Le propriétaire du taxi frappa à la porte pour nous prévenir… qu'il ramenait notre père blessé.

Aussi cruel que cela puisse sembler, je dirais que pour un instant, cet homme me sembla magnifique ! J'ai bu chacune de ses paroles comme un fluide libérateur. Mais mon père n'avait rien d'autre qu'un petit bleu à un genou, ce n'était pas le centime de ce qu'il faisait régulièrement subir à ma mère. J'imagine que pour cet homme, je devais avoir l'air d'un jouet mécanique au repos.

On proclame souvent haut et fort qu'on apprend par l'exemple, et en grande partie, je crois que c'est vrai. Mais qu'en est-il des sentiments ? Est-ce la même chose ? D'où m'est venu le ressentiment contre mon père alors que je n'étais qu'une enfant ? Je continue à en développer aujourd'hui contre l'hypocrisie et l'abus, et j'éprouve de la rage contre le fléau de notre siècle : la tolérance que d'autres proclament comme une valeur essentielle…

Chapitre VI

Elle savait, au jour le jour, puiser les éléments…

Chez nous, tout au long de l'été, nous quatre, surnommés les jeunes par les grands, avions dans nos tâches la cueillette des fruits sauvages avec notre mère, et ce n'était pas toujours une mince tâche ! En effet, de la fin du printemps à la fin de l'automne, ma mère semblait toujours courir après le temps : les repas, l'entretien général de la maison, le binage du potager, le poulailler, sans oublier les petits veaux qu'il fallait faire boire en employant nos doigts comme des suces. Il y avait aussi la cueillette des fruits, l'équeutage, le nettoyage, la confection des confitures, la mise en pots, la couche de cire sur chacun des pots, et le rangement sur le bord du solage à l'intérieur de la cave. N'oublions pas le barattage, la fabrication du pain aux cinq ou six jours, la cuisson pendant les journées de canicule, la fameuse mise en conserve après la boucherie et la fabrication du savon. Ouf !

Pour avoir parcouru les terres des centaines de fois, notre mère en connaissait chaque mètre carré, et savait vers quel coin se diriger pour trouver en saison cerises, merises, noisettes, bleuets, framboises et fraises. Pour elle, les fruits étaient un don d'amour qu'on devait faire l'effort de cueillir. Épuisée, elle avait le visage boursouflé, souvent même ensanglanté, car ma mère réagissait vivement aux piqûres d'insectes. Sur le chemin du retour, elle disait souvent :

— Comme on s'rait bien, si votre père changeait, sur une belle terre comme ça !

Il n'y avait rien à ajouter. Futile discours d'espoir que j'alimenterai à mon tour, tout en le sachant inutile, mais parfois tellement nécessaire pour survivre.

Je n'ai jamais senti chez ma mère que la cueillette des fruits pouvait être un travail. Bien au contraire, j'avais parfois l'impression qu'aussitôt qu'elle mettait les pieds dans la nature, toutes les traces de sa fatigue s'estompaient. En fait, elle disait souvent:

— On va aller ramasser des fraises, des framboises ou des bleuets pour se reposer!

Comment aurions-nous pu ne pas l'accompagner avec un certain entrain? Pour avoir participé aux cueillettes des centaines de fois, nous savions ce travail nécessaire, et souvent un peu ardu. Il fallait en effet qu'elle pourvoit au dessert de la famille, tout au long de l'année.

Le soir, lorsqu'elle semblait au bout de son rouleau, comme elle disait parfois, rien ne lui faisait plus plaisir, le souper terminé, que de nous amener avec elle faire une immense flambée d'abatis! Je n'ai pas beaucoup de souvenirs où l'un de mes demi-frères nous accompagnait dans les corvées de ramassage d'abatis. Je me souviens cependant que lorsque Paulo était à la maison, sachant à quel point maman aimait ce travail, il disait souvent:

— Allez-y la mère! Je vais m'arranger avec la vaisselle pis le balai!

Sur place, on se pressait à ramasser divers débris de souches et de branches d'arbres abattus qu'on entassait les uns sur les autres. À la tombée du jour, lorsque les maringouins ambitionnaient, elle criait aux garçons en leur tendant les allumettes:

— Allez-y! Allumez avant qu'on se fasse manger tout rond!

Le signal donné, il fallait voir ses yeux briller devant la flambée. Assis les uns contre les autres, dans la brunante d'une autre journée de labeur, nous demeurions près d'elle, sans véritablement parler. Inconsciemment, dans le silence, nous apprenions à respecter la douleur d'autrui, mais surtout la sienne. Je dis bien la sienne, car pour nous, les enfants, les déboires de notre père ne semblaient nous briser qu'en sa présence.

Lorsque notre feu commençait à baisser, l'un de nos demi-frères venait nous dire qu'il y avait des ours dans les parages, et il nous attendait. J'imagine aujourd'hui que c'était sa façon de nous témoigner son amour. Trente ans plus tard, j'ai écrit devant ma résidence située en bordure du lac Makamik cette pensée : « Si tu sais écouter le silence, il saura te parler… », et j'y crois ! Le problème, c'est que nous avons trop souvent peur de ce qu'il peut nous dire.

Je ne peux nier que même si sa vie fut difficile, ma mère a été heureuse, parce qu'elle savait accueillir, au jour le jour, les éléments positifs qui s'offraient à elle. Je ne veux pas dire par ces mots qu'elle n'a pas été souvent déroutée dans son univers d'incommunicabilité émotionnelle. Non, loin de là ! Mais l'essentiel consistait à se relever et à reprendre le collier. Dans la lourdeur de certains jours, on pouvait occasionnellement l'entendre dire :

— Demain… demain, on va faire ça !

Elle allait alors à l'encontre de sa nature. Car retarder un travail au lendemain, c'était miser sur quelque chose qui ne nous appartenait pas : l'incertitude du jour à venir. C'est par cette manière de penser qu'elle nous a habitués à ne jamais quitter la maison avec de la vaisselle sale, des pièces en désordre, etc. « Je viendrai à vous comme un voleur, a dit Dieu ! », répétait-elle souvent.

J'étais probablement la première de la famille à ne pas aimer me soumettre à cette espèce de loi que je voyais comme une phobie, mais j'ai gardé cette habitude : j'aime qu'à mon retour tout soit en ordre.

Ma mère avait une grande facilité d'émerveillement. Pour elle, rien n'était banal et tout méritait un peu de notre temps, d'un coucher de soleil au travail acharné d'un oiseau travaillant à bâtir son nid. Tout méritait son respect, mais elle aimait d'une façon toute particulière suivre l'évolution de l'éclosion des fleurs : rien ne lui semblait plus beau. Je pense en toute sincérité qu'elle m'a appris à regarder. C'est un bien bel héritage.

Lorsque j'étais enfant, la politique se résumait principalement en deux mots : rouge ou bleu, et il valait mieux être de la bonne couleur ! Chaque parti assurait à ses piliers, qui étaient généralement des personnes à l'aise financièrement, ou à des membres de leur famille, divers contrats et avantages sociaux, en s'assurant qu'un peu de beurre garnissait le pain des petits pour parvenir à se faire élire. Pas de haussement d'épaules, cette manigance perdure encore de nos jours, mais avec des millions et juste un peu plus de subtilité. Mon père criait qu'il n'avait besoin ni de beurre ni de graisse, sans s'expliquer sur ses allégeances : il donnait son vote aux rouges et sa hargne aux bleus. Il était rouge, c'est-à-dire libéral, et ignorait les raisons de son inclination, tout comme la majorité des gens pour un parti ou un autre. Ce n'est guère mieux aujourd'hui. Probablement même pire, puisqu'on a abaissé l'âge de la majorité pour mieux manœuvrer et parvenir à certaines fins. Les jeunes, sans connaissances approfondies de la politique, se rangent dans trop de cas, comme des moutons, vers des gens imbus d'eux-mêmes, sans comprendre ce que cela leur coûtera !

Les adolescents ont besoin de projets, et la majorité des parents n'ont pensé qu'à eux et au moment présent. On a fait d'eux de bons soldats à la recherche d'une étoile insensée ! Et au nom de nos droits et de notre liberté, on a ouvert les portes à des peuples trop souvent sanguinaires. Démocratie oblige. Où est l'erreur ?

— Fais donc comme les autres ! réclamait ma mère à bout de ressources.

— Jamais ! ripostait mon père. Y a pas personne qui pourra dire que j'ai vendu mon vote !

— Bien moi, dit-elle un jour, quand le cabaleux (nom donné aux gens qui faisaient du porte à porte pour faire sortir le vote de son parti) va se mettre le nez dans maison, j'vais lui dire qu'on attend encore après sa promesse faite aux dernières élections. Cette année, le travail devra être fait avant les élections, si y veut mon vote. J'vois pas pourquoi qu'on n'aurait pas droit à notre grosse calvette, comme les autres ! Tu entends ça, mon mari ? Ta fierté, tu sauras que je la trouve bien mal placée ! Va faire un tour en bas, l'eau est rendue aux carrés de patates ! Les petits gars viennent de monter le saloir, y était plein d'eau ! Depuis au moins une semaine, y a pus personne qui peut rentrer dans cour à pied. Les enfants s'promènent en radeau devant la maison, on dirait qu'on est construit sur une île. Pis ton orgueil te dicte que t'as besoin de rien, alors que la majorité des gens à l'aise en profitent à plein. Bien, ça va faire ! Mon vote, les rouges, y vont me le payer cette année. J'avais fait une demande trop polie aux dernières élections. Cette année, ça va être différent ! Si t'es incapable de mettre tes culottes, je vais le faire à ta place ! J'ai fini de me faire manger la laine sur le dos.

— Vous avez ben raison la mère, dit l'un de mes demi-frères. J'vais vous appuyer, chus de votre bord.

— Moi aussi, renchérit un autre. C'est à peine si on ose passer avec le truck. On n'est pas pire que les voisins !

— Toé, va atteler ma jument pis ferme ta gueule, cria mon père au plus jeune des deux.

— Pas question, vous venez juste d'arriver. Vous jouerez pas au fou avec moé. Je viens juste d'la dételer, pis j'irai pas lui remettre son attelage. Allez-y vous-même ! Y a toujours ben une maudite limite.

Il se mit alors à crier à ma mère l'interdiction de mener à terme son projet, et pour être bien certain que tout était clair, il la bouscula comme il savait si bien le faire. Mon frère aîné alla rapidement chercher le balai :

— Arrête ! cria-t-il en gesticulant avec le balai levé à bout de bras. Si tu fais encore mal à maman, je vais te battre moi aussi !

Indigné de la chose, mon père s'immobilisa : il n'en croyait pas ses yeux.

— Y sont ben élevés tes enfants, Laurette ! Y a même pas dix ans, pis y manque de respect à son père. Ça va être beau dans dix ans !

Un de mes demi-frères lui conseilla de baisser la voix et de se tenir tranquille.

— Courcy fait du porte-à-porte. Si y'arrive icitte, vous allez avoir l'air fin.

— Lui aussi, je l'attends, notre cher député, avec ses promesses en l'air, s'exclama maman en se tenant une débarbouillette d'eau froide sur un de ses yeux déjà enflé.

— Vous allez finir par vous ramasser en prison, le père, à fesser sur la mère comme ça. Y suffirait peut-être juste d'un rapport. Oubliez pas c'que vous avez fait à ma mère ! Sans votre aide pour descendre du grenier, chus pas trop certain qu'a s'rait dans le cimetière. Vous voyez ce que je veux dire. Si à ma mère les preuves étaient minces, y a quand même le doute. Je vous le dis, vous risquez la prison. Poignez-vous avec des gars à l'hôtel, ça va être légal, mais icitte dans… tenez-vous tranquille, bordel! Agissez en homme, bâtard!

— Ma grande foi du bon yeu! T'es rendu qu'tu vas m'dire quoi faire.

Mon père se mit rapidement en mouvement comme pour se battre avec lui.

— Tenez-vous tranquille avec vos niaiseries, j'ai pas envie de me battre, pis c'est l'heure d'aller à l'étable. Vous devriez travailler un peu, ça vous tranquilliserait les nerfs. Si vous voulez absolument vous battre, on se poignera quand je serai en boisson. Pis à bien y penser, pour le travail que vous êtes capables de faire, allez donc vous coucher! C'est rendu que vous vous faites même haïr par les p'tits jeunes. À part de ça, après ce que vous avez fait à ma mère, chus pas certain que j'f'rais un faux témoignage pour vous sauver de la prison.

— Un homme peut faire ce qu'y veut dans sa maison, pis chus chez nous icitte dans!

— À votre place le père, je miserais pas trop là-dessus! Astheure, les nouvelles vont plus vite qu'avant! Les femmes ont même le droit d'aller voter, ça veut peut-être dire bien des choses! La mère, vous l'avez voulu, ben faites-y attention! Vous aviez juste à la laisser à Montréal! Moé, j'aime boére, ça fait que je me marierai pas: je mettrai jamais une femme pis des enfants dans misère. Vous aviez juste à rester veuf! De même, vous auriez pu continuer à aller voir les putains à Rouyn pis à Val-d'Or.

— Pis toé, le jeune, tu devrais attendre d'être en mesure de t'défendre avant d'attaquer avec un balai. Le père est encore raide, même avec du gouffre plein le corps.

Après avoir longuement marmonné, mon père finit par s'endormir dans la grosse chaise berçante au fond de la cuisine. Il fallait le voir donner des coups de tête, s'ouvrant un œil de temps en temps, bavant comme un bébé perçant ses dents, riant ou rageant au gré de ses images mentales. Il lui arrivait même d'uriner dans ses pantalons. Lorsqu'il nous offrait ce spectacle, le silence régnait dans la maison. Maman continuait son travail en pleurant et, lorsqu'on s'approchait d'elle comme pour la consoler, elle se mettait à rire, mais les larmes continuaient à couler.

Du printemps à la fin de l'été, lorsque l'atmosphère devenait trop lourde, le train du soir terminé, c'est-à-dire le travail à l'étable, le lait centrifugé et le souper terminé, on allait à la pêche. Sans réfléchir, on s'engouffrait dans la boîte du camion, laissant maman seule avec notre père: son fardeau! Et on se donnait bonne conscience en criant « Bernard s'en vient! » avant de partir. Il n'y avait que ce demi-frère dont il avait vraiment peur. C'était notre mot-clé. Notre seul véritable point d'appui sur lequel nous pouvions compter pour le faire un peu marcher. Ce fils aîné n'avait qu'à paraître pour que notre père devienne un petit mouton…

Cette tactique ne fonctionnait cependant pas toujours et, jambes au cou, il fallait souvent aller véritablement le chercher avant que maman finisse par succomber à ses assauts. Il demeurait heureusement à deux minutes de chez nous. Tout au long de mon enfance, on pouvait voir le petit sentier que le temps avait fini par tracer. Le sentier de la paix, qui démontrait à quel point la guerre avait souvent éclaté.

Laurette était mère, mais elle était aussi belle-mère. Mes demi-frères l'aimaient à leur manière, ce n'était pas toujours très évident, mais ce n'est pas ce qu'elle aurait aimé recevoir d'eux. Certains ont parfois été odieux, comme s'ils avaient voulu lui imputer la mort de leur mère. Ceux qui ont le plus reçu d'elle ne sont pas ceux qui lui ont le plus donné. J'avoue que certains lui ont apporté plus de larmes que de rires. Et aujourd'hui, au nom de la liberté, on connaît la multiplication des belles-mères. Ce qui est bien, c'est que chaque femme reste persuadée que pour elle, tout sera différent!

Quelques jours plus tard, le notable, monsieur Cartier, vint faire sa cabale. Même s'il semblait avoir profité des verres de politesse de plusieurs personnes, il sembla très gêné de voir ma mère avec un œil au beurre noir. Avant de demander si monsieur Courcy pouvait toujours compter sur le vote de la famille, il osa dire:

— Auriez-vous besoin de quelque chose, madame Martin? Pouvons-nous vous aider d'une façon ou d'une autre? demanda-t-il poliment.

— Bien, y me semble que c'est facile à voir. Venez voir par la fenêtre comme on a une belle cour. Une chance que vous étiez en auto!

— J'ai bien vu ça en entrant! Votre calvette fournit pas?

— Non! Pis comme elle est trop petite, vous vous doutez bien qu'est gelée d'un bout à l'autre! Quand le chemin a été levé, y paraît qu'y en restait pas de grosses pour nous autres! Si vous r'gardez la géographie du rang, vous allez sûrement être d'accord pour dire que la plus grosse aurait dû être ici, juste en bas de la côte! Depuis le temps, si c'est pas de l'exagération… vous ne pensez pas? La fonte des neiges ramène toujours le même scénario. Mon sol de jardinage se fait miner année après année, y va finir par se r'trouver éparpillé un peu partout dans le champ.

— Vous avez raison, on va devoir régler ça au plus vite! J'vois pourtant votre mari assez souvent, y m'en a jamais parlé. J'avoue que j'passe pas souvent par icitte. Ça nous arrive d'aller à l'occasion chez Léonardo, mon épouse aime bien aller voir sa sœur, mais c'est bien à un mille d'icitte. J'me rappelle que vous en aviez parlé, mais j'pensais pas que c'était aussi sérieux. Je vais voir Courcy demain matin, ça devrait vite se régler.

Mais avant de partir, il osa s'informer de la raison de ses bleus.

— C'est pas de mes affaires, dit-il, mais êtes-vous tombée, madame Martin?

— Non, mais depuis le temps que je réclame de l'aide auprès du député, pis du curé pour mon mari. J'pense que tout le monde doit le savoir que j'ai marié un batteur de femmes. Avec ma besogne, j'crois pas avoir besoin de ça pour gagner mon ciel.

— J'trouve ça humiliant qu'un homme agisse de même. J'vous connais pas beaucoup, mais ma femme a beaucoup de respect pour vous. Est-ce qu'y vous touche juste en boisson?

— Vous pensez pas que même juste en boisson, ce s'rait déjà trop? D'autant plus qu'y boit au moins huit jours sur dix.

— C'est drôle, y a pas l'air d'un homme de même!

— Vous pensez pas qu'un bon nombre de personnes ont pas l'air de c'qu'elles sont réellement?

— Je m'excuse de me présenter devant vous avec un verre dans le nez, c'est pas dans mes habitudes.

— J'peux comprendre bien des choses, monsieur Cartier. J'disais pas ça pour vous offenser, j'vous respecte trop pour ça. Vous avez beaucoup d'ouvrage, avec tout ce que vous faites marcher ! Vous avez aussi une belle grande famille qui vit bien, c'est à votre avantage. Monsieur Courcy m'a déjà fait miroiter une belle promesse en plus d'endosser la vôtre. Vous lui direz juste qu'y va lui falloir remplir deux promesses avant d'espérer obtenir notre vote cette année. Comme vous savez, mon mari a déjà un gars qui a viré son capot de bord, pis y a au moins deux autres qui pensent comme moi.

— J'vais m'en occuper, mais en attendant, vous devriez aller voir un docteur.

— Merci pour votre conseil, mais c'est pas mon premier ni mon dernier bleu, je vous en passe un papier !

Deux jours plus tard, des employés du ministère de la Voirie vinrent avec de la machinerie refaire le ponceau, en utilisant largement le gravier nécessaire. Maman n'en croyait pas ses yeux. Le lendemain, monsieur Courcy vint à son tour frapper à la porte. Laurette se sentit un peu gênée d'avoir tenu les cordeaux en tant que femme dans cette étrange transaction. Mon père s'attribua cette victoire et se gonfla d'orgueil de son coup de maître devant les voisins. Ma mère ne s'en attribua jamais ouvertement les mérites.

— Vous pensiez pas que j'vous avais oubliée, madame Martin ? J'attendais juste le bon moment. J'aurais certainement préféré qu'on y aille après les élections, mais j'vous comprends. Dites à votre mari que j'vais venir le chercher à 6 h jeudi soir, tout est organisé. J'voudrais pas qu'y m'file entre les pattes à dernière minute !

— Mon mari a ses défauts, mais y oserait jamais vous faire ça ! Y a trop d'estime envers vous pour vous jouer un tour de même, d'autant plus que c'est tout un honneur que vous daigniez lui faire !

J'me sens un peu honteuse de vous avoir poussé au pied du mur de même !

— Ne le soyez pas. Une bonne retraite fermée, ça va m'faire du bien à moi aussi.

En refermant la porte derrière lui, elle mit une bûche dans le poêle. Elle s'empressa de monter l'escalier, poussant bottes, souliers, bas de laine, collets à lièvre, catalogues Eaton, Simpsons et Dupuis, poupées, camions et cartes de hockey ramassées dans les boîtes de céréales, mieux connues sous le nom de *corn flakes*. En période froide, le haut de l'escalier, avec sa chaleur, représentait notre petit coin paradisiaque. Laurette parvint finalement à soulever, en poussant avec son dos, la grosse trappe qui gardait la chaleur en bas, car l'hiver le haut de la maison était condamné. En langage plus courant, il demeurait fermé. Elle redescendit peu de temps après avec une petite valise noire aussi poussiéreuse qu'égratignée. Mon père arriva quelques heures plus tard avec la mine basse comme on disait souvent, prouvant sans l'ombre d'un doute qu'il connaissait déjà la nouvelle!

— Monsieur Courcy va venir te chercher jeudi soir, dit ma mère avec un petit sourire en coin.

— Pourquoi?

— Tu l'sais très bien.

— J'irai pas là!

Il tempêta comme il se devait de le faire en tant qu'homme, sans doute! C'est en tout cas ce que la physionomie de ma mère me donna à croire. Je lisais en elle la victoire. Mais j'ignorais de quelle promesse il pouvait bien s'agir.

— T'as pas le choix, tu vas y aller.

— J'te promets de plus jamais prendre un coup! Maudite boisson!

Mais cette tirade, ma mère la connaissait depuis fort longtemps, elle ne s'y arrêta pas. Il changea alors d'attitude, donnant tout à coup l'impression de ne pas être très réchauffé. En tout cas, pas autant qu'il aurait bien voulu le laisser croire! Assis dans la grosse chaise berçante à l'extrémité de la cuisine, tandis qu'on soupait en silence comme chaque fois qu'il revenait tôt de l'hôtel, il se mit à chantonner son répertoire, ce qu'il faisait généralement lorsqu'un voisin nous rendait visite, même monsieur Lambert.

Prendre un verre de bière mon minou
Prendre un verre right through

Tu prends ta bière, tu m'en donnes pas
J'te fais de belles façons
J'te chante des belles chansons
Donne-moé-z-en donc !
Soûl hier au soir et pis soûl le soir d'avant
Soûl encore à soir et pis soûl tout l'temps

Et pour finir, il termina avec sa chanson préférée : celle de la vieille Emma. Mon père avait tout un répertoire !

Le lendemain, au retour de l'étable, il examina longuement son nouveau ponceau, et les dégâts faits par l'eau de la fonte des neiges. Bref, pour deux longues journées, il joua à ressembler à un mari, à un père et à un cultivateur.

Comme convenu au préalable avec ma mère, mon père quitta la ferme le jeudi soir avec le député Courcy, à bord d'une belle auto en direction de Rouyn-Noranda. Il allait faire une retraite fermée et, par le fait même, prendre contact avec des AA.

Bien que les effets de la retraite laissèrent rapidement la place aux vieilles habitudes, maman voua à monsieur Courcy une éternelle reconnaissance pour avoir accompli un geste concret, à la fois pour son mari et pour elle. Un de ceux qui peuvent changer les choses s'était un instant arrêté, démontrant ainsi qu'il comprenait une partie de la gravité du problème.

Chapitre VII

Le torrent de mots qui s'ensuivit…

La santé de Géraldine continuait de s'aggraver un peu plus chaque jour. Et alors qu'elle se rendait voir son médecin vers le septième mois de sa deuxième grossesse, elle donna naissance à son enfant dans l'auto. Sa petite fille s'éteignit dans les minutes qui suivirent et, cinq jours plus tard, Géraldine reçut son congé de l'hôpital. Pour le milieu médical, elle souffrait alors d'un simple post-partum, amplifié par la mort de son enfant. Et on ne s'attarda pas à l'aider à se sortir de cet état honteux à l'époque.

Autour de moi, on ne semblait pas comprendre sa dépression. Il faut dire que la mort d'un enfant faisait encore pratiquement partie de la routine. On disait souvent que le meilleur moyen d'oublier, c'était d'en avoir un autre ! Même les femmes, très souvent, étaient prises dans cet engrenage de pensées, dictées à la fois par la croyance populaire et la religion.

C'est avec empressement que j'ai accepté de passer l'été de mes onze ans chez elle, pour l'aider à prendre soin de son fils et à entretenir la maison. Elle vivait à Rouyn-Noranda tout près d'un grand rocher, d'où l'on pouvait entendre les cris provenant d'un orphelinat situé tout près. Je me suis vite interrogée sur le fait qu'un grand nombre d'enfants s'enfuyaient de ce lieu, en rampant dans le fossé ou en courant sur les rochers. Je m'inquiétais pour eux. Il m'arrivait même de réveiller ma sœur pour lui dire qu'un enfant se cachait ici et là !

— Ils font pitié, me dit-elle un jour, mais on peut rien faire pour eux autres. Ce sont des enfants qui ont été abandonnés à leur naissance, ils vivent à l'orphelinat. Y en a qui disent que les sœurs les maltraitent parce que leurs mères étaient pas mariées !

Il faut savoir qu'à cette époque, bien peu de filles avaient la possibilité de garder leur bébé, et les moyens pour éviter une grossesse se résumaient en un mot: l'abstinence. Les filles qui devenaient enceintes devaient se soumettre aux pressions de la famille, et à celle de la religieuse qui acceptait de s'occuper de l'enfant après sa naissance. La majorité des filles ne voyaient même pas leur bébé et, si elles résistaient trop, on poussait parfois l'odieux jusqu'à leur faire croire qu'il était mort. Les orphelinats étaient remplis à craquer, et les religieuses avaient très peu de temps à consacrer à chacun d'eux. Dans ce siècle de grosses familles, un nombre infime d'enfants étaient adoptés dès leur naissance. Les nouveaux parents voulaient s'assurer de l'état de santé de leur futur enfant. Disons aussi que seuls les plus jolis poupons trouvaient preneurs.

C'était l'époque, les convenances du temps, l'ère où être un homme se résumait presque uniquement à une performance sexuelle et avoir un enfant illégitime à un péché mortel. On cachait les filles enceintes, laissant croire qu'elles allaient aider une vieille tante ou une grand-mère. C'était la honte ! Un déshonneur pour la famille ! Et on ne discutait pas longtemps à savoir si l'enfant devait être abandonné ou donné à une quelconque parente. Le choix de la mère ne pesait pas lourd. Il faut dire qu'être mère célibataire reconnue compromettait pratiquement toute chance de faire un mariage d'amour. J'ai vite compris qu'on ne pouvait rien changer au sort des orphelins, et j'ai cessé d'en parler à ma sœur. Ses problèmes respiratoires semblaient peser suffisamment lourd sur ses épaules; je ne devais pas lui donner de raisons de s'inquiéter du sort des autres.

Certains jours, Géraldine semblait reprendre le dessus. Elle en profitait alors pour travailler à la confection d'un petit gilet de laine rose. Le reste du temps, ce dernier se trouvait dans un grand bocal de verre rangé dans une armoire vitrée. Ce délicat tricot me fascinait: comme j'ai dit antérieurement, ma mère ne tricotait pas. Je ne peux pas cependant dire ce qu'il représentait réellement pour ma sœur: un refus du passé ou un possible avenir. Je n'en sais rien ! Notre lien s'était brisé au fil du temps, à une époque où les adultes s'adressaient aux enfants, dans bien des cas, que pour les réprimander.

Les journées de canicule, nous allions parfois faire un pique-nique sur une plage. Mais elle n'arrivait pas à en profiter, étant à l'âge des innombrables complexes qui se rattachent très souvent à l'adolescence. Je ne pouvais donc pas tellement l'aider à profiter de ces moments.

Je suis revenue chez mes parents au début de septembre, pour la rentrée scolaire. Quelques jours plus tard, j'ai appris que Géraldine était hospitalisée. Dans la maison régnait un certain silence au sujet de ses nombreux va-et-vient de l'hôpital à sa résidence, comme si quelque chose de honteux y était rattaché. Ma mère pleurait de plus en plus souvent, et mon père criait que c'était l'affaire des médecins !

Quelques jours avant Noël, le médecin de Géraldine confirma à son mari que le cœur de cette dernière était en très mauvais état : il ne pouvait que la soulager. Il n'y avait aucun espoir de guérison, ce n'était qu'une question de mois ou de semaines. Après avoir dit et redit qu'elle fabulait, on annonçait soudainement sa mort prochaine. J'étais atterrée : elle ne méritait pas ça ! J'avais moi aussi acquis la certitude, par une espèce d'osmose venant de tous bords tous côtés, que ce qui nous arrivait était chose méritée !

Elle avait vingt ans, et autour de moi, tout invitait à la soumission, pour ne pas dire au fatalisme ! Il n'y avait rien à faire, et les mots semblaient superflus. Une fois de plus, j'ai vu mon père céleste comme un gros bonhomme assis sur son nuage blanc, s'amusant de notre misère avant de signifier qu'il était le grand chef. Comme si la maladie ou la mort prématurée d'un être aimé était inscrite dans un dispositif de justice, en fonction de nos actions. C'est un non-sens ! Au fil des ans, j'ai réalisé à quel point la religion et une certaine élite se sont donné comme mission de nous présenter un Dieu vengeur plutôt qu'amour.

Chez nous, les larmes n'avaient pas de place, et le laisser-aller à ses sentiments amenait certaines personnes à rire et à user de sarcasmes. Ce cinéma semblait appartenir aux comédiens, aux clowns, une épithète dont on pouvait affubler mon père en boisson à certaines heures, et aux femmelettes. Seule ma mère me semblait avoir le courage de se laisser ainsi étiqueter. Il m'a fallu beaucoup de temps pour comprendre que rires et sarcasmes sont des armes de faibles se cachant sous une carapace illusoire de force.

Lors de l'une de nos visites, Géraldine, avec la candeur d'une enfant, demanda à notre père de cesser de boire, afin qu'elle puisse guérir. Il lui fit la promesse de faire ce sacrifice pour elle et, le lendemain, il revint ivre à la maison.

— T'as fait une promesse, Hervé ! s'écria ma mère. Tu sembles pas savoir c'que ça veut dire !

— De toute façon, a va mourir ! Est malade ! T'es pas assez intelligente pour comprendre ça, Laurette ?

— T'avais juste à lui dire que tu pouvais pas accéder à sa demande. Tu pouvais lui dire non !

— Jamais ! Pas question ! Va au diable ! J'ai un cœur. Mais chus pas obligé de la suivre dans sa tombe ! Est mariée, c'est à son mari qu'a doit faire des demandes. J'te rappelle qu'y en a d'autres qui ont levé les pattes avant elle. Si y avait fallu que j'm'arrête à chaque fois, j'aurais pas été loin !

— T'as ben raison, mon mari. C'aurait peut-être pu t'rendre plus humain ! Au moins, elle, a risque pas de s'faire charcuter à froid comme Martine !

— Peux-tu me dire pourquoi qu'tu ramènes ça su' le tapis ? Martine est morte pis enterrée, ça fait longtemps qu'les os y font pus mal !

— J'aimerais parfois posséder une conscience comme la tienne. J'ai du mal à comprendre qu'un père parle ainsi de sa propre fille, et ait aussi peu envie de faire des efforts pour une autre.

— Le docteur dit que c'est trop tard. Y doit ben savoir de quoi y parle ! Y a rien à faire ! C'est pas difficile à comprendre !

— Tout comme le mari de Martine s'disait qu'un premier bébé, c'était toujours long ! Avec un homme qui aurait eu la tête sur les épaules, pis le cœur à bonne place, elle serait probablement encore vivante. Quand j'pense que pour une taure ou une jument, vous pouvez rester une nuit complète dans l'étable, pour l'aider si nécessaire. C'est vrai qu'un veau pis une vache, ça vaut de l'argent ! Dire que son mari est retourné trois heures plus tard à moitié ivre avec le médecin, lui aussi en état d'ébriété. Voir si ça a du bon sens, lui avoir faite une césarienne sur la table de la cuisine, espérant sauver le bébé ! On laissera pas mourir une vache pour sauver son veau par exemple ! Mais une femme, ça se remplace bien ! Notre sainte mère l'Église catholique a décidé que lors d'un accouchement, la vie de l'enfant devait passer avant celle de la mère ! C'est vrai qu'une femme, ça rapporte pas grand-chose. Pis y a toujours une vieille fille pas trop loin, prête à passer à l'église à 7 h du matin pour prendre mari et besogne ! Quand j'pense que tu m'obliges à l'recevoir avec sa nouvelle femme !

— Une femme, c'est censé être fait pour pouvoir avoir des enfants ! Elle, a pouvait pas ! C'est facile à comprendre.

— Les hôpitaux, c'est justement pour ces cas-là, mais ça prend de l'argent. T'as bien raison. Pis l'argent, ça se gagne par les hommes, pis ça se boit par eux autres aussi.

Cette conversation tourna une fois de plus en queue de poêlon, comme disait souvent ma mère. Peu de temps après, Géraldine fêta ses vingt et un ans, convaincue qu'elle allait s'en sortir grâce à son moral et à la promesse de notre père.

Au début du mois de février, en entrant au centre hospitalier, ma mère rencontra une religieuse qui vint lui demander de passer à son bureau avant de reprendre la route.

— Priez, madame ! Priez pour que Dieu vienne la chercher ! Vous devez demander à Marie d'intercéder pour que Dieu la rappelle à lui le plus vite possible. Elle souffre inutilement en s'accrochant à la vie, alors qu'elle doit mourir.

Il me semble la revoir lui tenir les mains, comme pour l'implorer d'obtempérer à ce qui me semblait alors n'être qu'une funeste demande. J'étais trop jeune pour oser prendre la parole. Et ma mère est demeurée bouche bée devant son discours. Tête haute, elle s'est dirigée vers la sortie, de grosses larmes ruisselant sur son visage. Quelques pas derrière elle, inconsciemment sur ses traces, je poursuivais l'apprentissage de l'atroce route de l'abdication !

Je me suis alors mise à avoir peur de cette religieuse. Il me semblait qu'elle allait, délibérément, laisser ouverte l'une des fermetures de la tente d'oxygène, fermer le sérum ou quelque chose du genre. Une fois de plus, je me retrouvais devant cette dualité : l'existence d'un être, à qui j'avais attribué une certaine puissance et une grande valeur, se révélait tout autre à mes yeux d'enfant. Je commence à peine à m'éloigner de cette peur d'avoir près de moi, dans un moment de grande vulnérabilité, une personne qui s'arrangerait mieux de ma mort que de ma vie.

Le 13 avril au matin, Géraldine demanda à voir son mari. Ce dernier nous envoya un télégramme par taxi, nous demandant de venir de toute urgence. Quelques minutes plus tard, le même taxi revint. Ce n'était plus la peine, elle était morte.

Je ne partageais ni ne comprenais le soulagement que je sentais autour de moi. Elle fut exposée à Poularies, dans le petit salon des parents de son mari. Assise sur le sofa devant elle, j'aurais aimé entendre le silence, mais dans la cuisine on parlait, mangeait et riait des blagues de l'un et de l'autre. Et chaque fois qu'un sanglot se faisait entendre, il y avait toujours quelqu'un pour aller dire : « Non ! Ne pleure pas. Elle est bien. »

Comme si on pouvait être bien devant la mort prématurée d'une personne aimée. Depuis ce jour, les larmes représentent pour moi plus de force que de faiblesse.

Son fils avait trois ans. Les longues absences de sa mère l'avaient petit à petit préparé à la rupture définitive. Les funérailles furent célébrées alors que l'église était en construction. Un oiseau, s'étant probablement fait un nid sur une poutre, se promena au-dessus de la tête des gens, et se posa sur la tombe à deux reprises. Les commentaires furent nombreux, car dans ma famille tout semblait signifier quelque chose ! Selon certains, Géraldine venait nous dire que sa misère était finie, tandis que pour les plus superstitieux, un autre malheur allait bientôt s'abattre sur la famille.

Quelques semaines plus tard, ma mère sauta de joie en lisant une lettre d'oncle Gérard, son frère. Ce dernier lui offrait de venir lui faire des petits travaux lors de ses vacances. Elle accepta son offre avec grand plaisir. Il faut dire qu'elle ne pouvait pas comprendre comment autant d'hommes dans une même maison pouvaient être aussi peu habiles avec un marteau dans les mains. Laurette espérait depuis tellement d'années faire refaire le toit de la maison, c'était comme chose faite !

Chez nous, chaque fois qu'il pleuvait, il nous fallait pousser certains lits et disposer ici et là toute une kyrielle de plats. Il fallait voir maman courir vider les casseroles : quelquefois elle rageait, mais la majorité du temps elle riait, et le ventre dont elle avait hérité au fil des ans sursautait. Découragée de la situation, elle nous amenait à rire et nous donnait l'impression de participer à un jeu. J'ai compris avec le temps qu'elle voulait nous faire saisir l'importance de dédramatiser ce qui nous est impossible de changer.

Ce ne fut pas un mince contrat, et toute la famille y participa : les hommes en haut et les enfants en bas. Il fallait ramasser les milliers de petits bardeaux de cèdre, tandis que dans la cuisine, maman s'affairait à faire mijoter les plats que son frère préféraient lorsqu'il était enfant, tout en bavardant avec sa femme, ma marraine. La journée terminée, on s'entassait dans le petit camion pour se rendre à la plage. Oncle Gérard chantonnait toujours. Nous, les petits jeunes, n'avions pas l'habitude de voir des hommes s'occuper de nous comme des personnes à part entière. Les histoires, les limonades, les petites promenades, les baignades, pratiquement pas d'alcool, et pas de sarcasmes : cela formait un tout qui m'était très agréable.

Le fait que ma mère soit montréalaise a donc fait en sorte que nous avons peu connu notre famille maternelle. Je sais cependant que c'était monnaie courante pour bien des gens de se retrouver seul de leur race en région éloignée. La durée et le coût du voyage obligeaient les gens à se centrer sur leur propre cellule. C'est d'ailleurs ce que l'Église prônait, tandis que le gouvernement faisait miroiter les octrois pour le défrichement des terres. Si la majorité des gens parvenaient à passer au travers, c'est parce qu'ils conservaient l'espoir de repartir un jour, pour aller terminer leur vie sur leur terre natale. Avaient-ils oublié que dans la normalité, ce sont les enfants qui abandonnent le foyer les uns après les autres ?

De toute mon enfance, je me souviens d'un seul voyage, celui entre Makamik et Dubuisson, près de Val-d'Or. Aujourd'hui, on doit compter près de deux heures pour faire ce trajet, mais en 1950, ce n'était pas tellement loin d'un exploit. Ma cousine Madeleine, âgée de huit ans, s'était mise dans la tête de sauver son père des griffes de l'alcoolisme, beau temps mauvais temps. Elle allait à la messe avec cette foi et ce désir. Elle fut volontairement happée par une auto, en revenant de l'église un samedi matin pluvieux. L'enquête permit de découvrir qu'il s'agissait d'un patient en psychiatrie qui l'avait frappée.

C'est ainsi que six mois après la mort de Géraldine, la famille se retrouva de nouveau dans une maison dont le salon était devenu mortuaire pour les besoins de la cause. Le temps me sembla long, la boucane de cigarettes formait un nuage au-dessus de nos têtes. J'avais l'impression de manquer d'air: chez moi personne ne fumait. Sandwiches apportés par des voisines et tasses de thé s'additionnaient toujours de plus en plus sur la table, tandis que les bouteilles de bière encombraient le bord de la porte. Tante Thérèse pleurait et oncle Lionel lui réclamait ceci ou cela, comme si son rôle de servante prônait sur celui de mère qui vient de perdre sa fille.

Des funérailles dans la petite église, je n'en ai aucun souvenir, mais l'enterrement est resté gravé dans ma mémoire. C'était l'automne, et il pleuvait depuis plusieurs jours: le cimetière était boueux, et la pluie avait quelque peu rempli la fosse. La petite tombe blanche flotta, et le fossoyeur fut obligé de pousser sur cette dernière avec un bâton afin de pouvoir mettre le couvercle. La pression fit céder un coin de la petite tombe, plus cartonnée qu'autre chose, laissant ainsi voir les petits pieds nus de ma cousine. Mon oncle cessa de boire les semaines suivantes, et il mourut d'un cancer quelques années plus tard.

L'année suivante, j'ai quitté la maison parce que je ne pouvais plus vivre en présence de mon père. Adulte, on aime, on est indifférent ou on déteste; mais enfant, je ne crois pas à l'indifférence. Consciente de tout ce qui se passait dans la maison, ma mère a fait des pieds et des mains afin que je devienne pensionnaire au couvent.

N'ayant pas les moyens de payer entièrement ma pension, elle a dû quémander de l'aide financière auprès du curé. On considéra, avec raison, que je ne possédais pas les acquis nécessaires pour être admise dans la classe de cinquième année et que j'étais beaucoup trop grande pour me retrouver avec des enfants de neuf ans. Je devais donc aller vers le côté pratique: l'économie familiale.

De point en point, j'ai taillé, cousu et brodé ma layette de bébé. Même si j'ai été très heureuse de l'avoir fait plus tard, au moment de l'exécution, ça me semblait un peu idiot. J'ai aimé ce cours, mais je m'y sentais en état d'infériorité par rapport aux autres étudiantes, alors qu'un bon nombre d'entre elles auraient voulu être à ma place. Quelqu'un a écrit un jour que la vie est comme un hôpital où chaque patient est possédé du désir de changer de lit.

Au cours de l'été suivant, le curé fit savoir à ma mère qu'il ne pouvait pas renouveler son aide pour une deuxième année consécutive. Il devait en aider d'autres et, selon la directrice, je pouvais me débrouiller dans plusieurs domaines. Autrement dit, j'en savais assez pour devenir une mère.

Ayant travaillé tout l'été chez un généreux voisin, je pus-payer le coût des matériaux nécessaires pour ma deuxième année. J'étais cependant consciente que ma mère travaillait deux fois plus à coudre pour l'un et pour l'autre, afin de parvenir à payer ma pension. Je me sentais honteuse d'alourdir ainsi sa tâche. Mais je tenais beaucoup à y retourner, surtout parce qu'en deuxième année on apprenait le tricot: foulard, bas, mitaines et châle de baptême. Tous mes enfants ont été baptisés dans le magnifique châle confectionné sous le regard des bonnes sœurs de l'Immaculée-Conception.

À titre d'élève de deuxième année, je pouvais à l'occasion bénéficier de petites sorties pour aller prendre une collation au restaurant ou pour me rendre seule au magasin de coupons. Le jour de mon quatorzième anniversaire, j'ai demandé à la directrice la permission d'aller au restaurant avec une de mes compagnes. L'importance que ma mère avait toujours accordée à nos anniversaires me manquait. Une fois sur place, j'ai offert mes services comme serveuse aux tables. La propriétaire m'a alors donné le nom d'un autre restaurant à la recherche de serveuses.

Deux jours plus tard, maman m'a aidée avec un de mes demi-frères à déménager près de mon travail. Elle n'approuvait certes pas ma décision, mais elle pouvait cependant la comprendre. Le travail de nuit pour une fille habituée à aller au lit tôt fut une difficile expérience, et un changement radical de vie. Il me fallait rapidement faire des sandwiches, des clubs et recommencer encore, sans oublier les montagnes de vaisselle à laver!

— Allez, la p'tite dernière, tu fais ça!

Une semaine plus tard, je commençais un autre emploi dans une salle à manger, et uniquement de jour cette fois. C'était l'époque où les préavis n'existaient pas réellement: si le travail faisait ton affaire, tu le prenais, et si tu ne faisais pas l'affaire, c'était tant pis pour toi.

Ce travail exigeait de la rapidité, puisque tous les hommes se présentaient pratiquement en même temps pour le déjeuner ou pour le lunch. Et tout le monde revenait complètement sali de blanc de chaux, puisqu'ils travaillaient à la finition de l'hôpital. Peu de temps après, j'ai rencontré le garçon parfait : poli, distingué, propre, travailleur, minutieux dans sa tenue de la tête aux pieds et portant fièrement à la boutonnière le symbole de l'allégeance aux AA. Il parlait beaucoup et dans ses discours, je sentais qu'il portait le monde sur ses épaules : à cette époque, ça me semblait bien. Mon travail de serveuse s'est terminé cinq mois plus tard et, comme je ne voulais pas revenir chez mes parents, je me suis trouvé un autre emploi dans une autre salle à manger.

Un jour, celui que je croyais être mon amoureux est venu me voir tout pâmé : il venait de croiser une fille extraordinaire ! Elle l'avait conquis par son regard et, quelques semaines plus tard, il se mit à me parler régulièrement d'elle. Selon ses dires, il n'y avait rien d'autre que de l'amitié entre eux ! Elle aimait parler avec lui, et il était heureux d'aider son prochain…

— Elle m'attend avant d'aller dormir juste pour me dire bonne nuit !

Je n'avais jamais imaginé une telle situation possible, et mon peu d'estime de moi refit surface.

Une vilaine grippe m'obligea finalement à revenir chez mes parents afin de refaire mes forces. Mon petit ami devait venir me voir, mais il manquait d'argent. Il ne portait plus sa jolie petite épinglette ! Et l'amitié entre garçons lui manquait. Par la suite, j'ai travaillé dans un autre petit restaurant, et il a refait surface. Six mois plus tard, la propriétaire vendait son commerce. Les nouveaux propriétaires donnèrent rapidement une fière allure à ce petit café. Le salaire était intéressant, et l'apparence qu'on voulait donner à ce nouveau restaurant me plaisait. Toute l'équipe devait se retrouver à 23 h pour l'ouverture officielle. Mon ami refusa que j'y aille :

— C'est eux ou moi !

Par peur de le perdre, et devant son insistance et mon manque de confiance, ce fut lui. Je suis revenue au bercail, puisque le seul travail disponible ne requérait mes services que trois semaines plus tard. Une fois de plus, j'ai cessé d'avoir de ses nouvelles. J'avais joué la mauvaise carte! Je suis finalement retournée à mon premier emploi: le restaurant avait refait peau neuve, et il semblait posséder un visage plus humain. Ce n'était cependant pas l'avis de mon ami, et il me laissa tout simplement tomber: il espérait rencontrer une fille instruite.

— J't'ai jamais fait de promesses!

Il avait raison, mais je ne l'avais pas véritablement réalisé avant ce jour. Il fréquentait maintenant la jolie blonde. J'ai eu de la peine, mais je m'en suis vite remise. Lorsqu'on est jeune, perdre son amoureux c'est d'abord le gouffre, mais peu de temps après, c'est prendre une grande bouffée d'air pur! On découvre alors à quel point les exigences de l'amour sont parfois étouffantes! Mais la liberté, aussi sublime soit-elle, traque ceux qui n'ont pas pris le temps de l'apprivoiser et, par peur de la solitude, on tente de s'enchaîner de nouveau.

Les semaines suivantes, j'ai tenté d'apprendre à vivre pour moi-même et à danser le rock and roll. Mais mon manque de confiance, mon insécurité et ma peur du ridicule ne me permirent pas d'apprendre à le danser convenablement. On ne bouge pas ses bras et son corps librement pour la première fois à quinze ans, en espérant y trouver le rythme d'instinct.

Entre-temps, Laurette troqua un peu son titre de sage-femme contre celui de professeur d'anglais. Elle se mit à donner des cours le samedi après-midi, à 25 ¢ chacun, aux enfants du rang. Persuadée que je ne tiendrais pas le coup longtemps, elle avait tardé à déclarer que je travaillais, et elle devait remettre le 6 $ par mois d'allocation familiale qu'elle avait perçu en trop. Rien n'est changé: 48 $ pour un petit, c'est un vol, mais mille fois plus pour un riche, ça ne vaut pas la peine de s'y arrêter.

Peu de temps après, j'ai rencontré un garçon et j'ai eu peur: il me semblait trop bien. Je ne pouvais pas mériter un tel garçon, et j'ai pris mes jambes à mon cou de crainte qu'il ne soit qu'un mirage.

Chapitre VIII

Ce mariage représentait l'ultime récompense à ses sacrifices…

Ma petite sœur s'est mariée le samedi suivant la célébration de son quatorzième anniversaire de naissance. Un an plus tard, du haut de mes dix-sept ans, je faisais le même saut. Nous portions l'une comme l'autre l'espoir de fonder un foyer plus viable, plus gratifiant: tangible chemin imaginaire d'où l'on pouvait d'ores et déjà voir pointer les lauriers ! Futile raisonnement d'adolescente où l'utopie orchestre autant l'espace que le temps, sans laisser de place à l'imprévu qui, de toute évidence, n'est que pour les autres.

Les mots dans ma tête portaient déjà tellement d'ambiguïté que je n'ai même pas voulu m'interroger. Je le voyais comme un être réservé, gardant ses beaux mots pour après le mariage. Je n'ai pas vu comme primordial mon besoin d'amour, à la fois par des mots et des gestes, et je dois m'en tenir seule responsable. J'ai été vers le mariage avec la certitude qu'il n'y aurait jamais de problème majeur, comme si le fait de signer un document devenait une assurance matrimoniale.

Lors d'une rencontre, il y a toujours un petit déclic qui fait qu'on s'arrête à une personne au lieu d'une autre. Pour moi, ce furent ses mains. Je n'avais jamais vu une main d'homme aussi belle, et j'ai extrapolé ! Ma fertile imagination et mon désir de combler des attentes ont eu raison de moi. Il possédait aussi un quelque chose de mon père, mais cela, seul mon inconscient l'a perçu…

J'ai vu ce que je voulais bien voir: il avait un côté posé, calme, grand connaisseur, et en poche un certificat de dixième année. Il m'a charmée sans effort ! Moi qui ne possédais même pas un petit bout de papier prouvant ma quatrième année. Alors que lui, il portait avec fierté, comme le voulait le temps, l'enviable titre de fonctionnaire. Je ne saurais par conséquent dire lequel des deux fut le plus piégé, si piège il y a eu...

Il me parlait de sa caisse de retraite et de la belle vie en Europe, sans oublier les multiples voyages aux quatre coins du Canada en caravane. J'avais le goût des voyages dans le sang, et ma vie avec lui avait un quelque chose de féerique: tout me semblait possible et réalisable.

Il m'expliqua, lors de nos premières rencontres, qu'il ne pouvait pas s'acheter d'auto, car sa mère exigeait une bonne pension. Elle tenait à tout prix à faire instruire ses deux filles, et ce fut chose faite! À seize ans, on ne s'arrête pas trop longtemps aux questions pécuniaires. Cet homme m'inspirait confiance et le reste me semblait superficiel, seul l'amour que j'éprouvais pour lui me semblait important. Je n'ai donc connu de lui que ce qu'il a bien voulu me montrer, c'est-à-dire bien peu, puisqu'il ne parlait pas beaucoup. La télévision meublait beaucoup de temps. Puis, un jour, à quelques semaines de notre mariage, il me dit qu'il allait perdre toutes chances d'avancement en se mariant:

— Pour avancer comme fonctionnaire, on doit être libre!

Son histoire me sembla difficile à saisir et, sans essayer de tout comprendre, je lui proposai d'arrêter les préparatifs et d'annuler le mariage. Il refusa. Je l'aimais, et je n'ai pas eu le courage de faire marche arrière. Si j'ai versé quelques larmes avant de m'endormir ce soir-là, c'est que soudain, la partie de ma vie que je croyais non tributaire de mes origines ne me semblait guère plus valorisante. Sans le réaliser, je partais en mission tout comme ma mère l'avait fait, avec les mêmes rêves et les mêmes espoirs.

Aussi naïve que puisse être la petite campagnarde, il me semblait qu'il se fourvoyait souvent. En effet, à l'intérieur de six mois, il s'était permis de disparaître deux fins de semaine en invoquant de plausibles raisons. Quelques semaines plus tard, j'avais appris par l'un de ses amis qu'il s'était bien amusé à l'antipode du lieu qu'il m'avait dit. Je n'ai pas eu le courage ni la sagesse d'exiger des explications: l'abdication est et a toujours été pour moi un légendaire remède. Même à dix-sept ans, j'avais déjà acquis la certitude que pour garder son homme, on devait dans bien des cas être sourde et aveugle!

À la première étape des préparatifs du mariage, sans même tenter d'avoir mon avis, il décida que je devais porter un tailleur. Selon ses dires, la robe blanche faisait partie des grandes cérémonies et ce n'était pas le cas de notre mariage. Cette tenue avait aussi l'avantage de pouvoir se porter de nouveau. Il lui suffisait souvent d'ouvrir la bouche pour que tout me semble sage, raisonné et indiscutable. J'ai accepté, sans même tenter de lui expliquer ma manière de voir l'événement. Consciemment, je me suis placée derrière lui, tout à fait convaincue que c'était la meilleure chose à faire. Je me suis soumise librement à sa tutelle ! N'oublions pas qu'à cette époque, la femme était soumise à son homme, et c'est lui qui prenait les grandes décisions. Pour la femme, donner et accepter semblait aller de soi. Tant et si bien que même si cette manière de penser a disparu, je n'ai jamais appris à recevoir de façon spontanée.

Je n'ai jamais compris qu'une femme vienne me dire, à quelques jours de mon mariage, sa surprise de voir cet homme m'épouser, puisqu'il en avait aimé une autre… Méchanceté ou totale inconscience, j'opte pour la seconde option. Ce n'était que des mots, des balivernes auxquelles j'ai donné une importance démesurée, effritant le peu de confiance que j'avais en moi. J'allais devenir sa femme, et je m'imaginais que cette réalité à elle seule était suffisante pour faire disparaître toutes mes interrogations. Je n'ai pas cherché à obtenir d'éclaircissement, et en parler avec ma mère me semblait inconcevable. À ses yeux, ce mariage représentait l'ultime récompense à ses nombreux sacrifices : mon futur appartenait à une bonne famille.

J'ai découvert, après le mariage, que les fonctionnaires avaient des droits acquis : la bonne couleur dans le bon magasin. Je savais que le crédit existait, mais selon moi, ce n'était que pour se nourrir. Les gens payaient souvent l'épicerie au retour des chantiers, après la vente des porcelets, des récoltes ou après l'arrivée du chèque d'allocation familiale.

Sa mère avait aussi une ardoise qu'il devait régler, en plus de faire face aux meubles à terme, à l'épicerie, l'électricité et la layette. Je retirais heureusement un peu d'assurance-chômage et j'avais comme mère une très bonne couturière, habituée à travailler pour peu ou pour rien. Ma belle-mère, pour sa part, était membre du cercle des fermières et raflait pratiquement tous les concours de tricot et de broderie, du régional au provincial. J'avais donc l'amalgame parfait en matière de tenue vestimentaire.

À cette époque, on se mariait et on apprenait à se connaître ensuite. La première chose avec laquelle il m'a vite fallu apprendre à composer fut celle de me retrouver seule à l'église au début de l'homélie. Il sortait pour fumer, mais ne revenait pas : l'endroit semblait propice aux rencontres. Les longs sermons moralisateurs et souvent dépourvus de sens logique, pour ne pas dire chrétien, en ont amené plusieurs sur le parvis. Ensuite, il allait avec l'un ou l'autre prendre un café au restaurant ou une bière à l'hôtel. Le temps m'a appris que mon mari ne tolérait ni remontrance ni sermon. Il m'a aussi appris que je me suis mariée sans avoir la moindre parcelle d'idée de la manière de fonctionner en couple. Je n'avais eu comme modèles que des femmes d'un certain âge, souvent frustrées, ayant en tête l'obligation de gagner à tout prix leur ciel !

La venue rapide de mes cinq premiers enfants, avec tout le travail que cela comportait, m'a aidée à ne pas avoir le temps de me poser trop de questions. D'autant plus que pour arrondir les fins de mois, je faisais du porte-à-porte pour vendre des produits de beauté. Durant ce temps, mon mari travaillait soixante heures par semaine et passait son peu de temps libre à jaser avec l'un et l'autre. Les élections s'en venaient, et il devait faire attention. Les rouges tentaient de le piéger en le faisant boire pour qu'il avoue ses allégeances politiques. Et les bleus jubilaient à la pensée de l'écraser telle une mouche, sans pourtant être certains de ses allégeances. Politiquement, j'ai payé une facture qui n'était pas la mienne, mais lui, il a dû ramper pour obtenir le droit de garder son travail, comme si ce n'était pas un besoin essentiel.

Lorsque mon beau-père a perdu ses élections municipales, certains organisateurs adverses sont venus nous réveiller au milieu de la nuit. Ils ont poussé l'odieux jusqu'à l'obliger à les accompagner pour aller faire brûler ce qu'on appelait alors un bonhomme, devant la maison de son père, certains que du coin du store de leur chambre, ses parents allaient le reconnaître. Lorsqu'on voulait humilier une personne qui venait de subir un échec, on allumait un pneu devant son entrée de cour. C'était l'ultime affront. L'impardonnable. L'odeur et le temps nécessaire pour que le pneu se consume ne passaient jamais inaperçus, surtout dans un petit village de campagne. Que de petites gens qui se considéraient comme des personnages importants se sont amusés à détruire ceux et celles qu'ils considéraient comme des subalternes et qui n'avaient pourtant que le désir de travailler pour vivre et faire vivre leur famille !

En me mariant, j'étais comme toutes les filles de la fin des années 1950, persuadée que le mariage allait m'apporter la sécurité, et une certaine classe sociale ! La réalité se révéla tout autre ! Quand ce n'était pas la menace de voir mon mari perdre son emploi, c'était celle de voir un service suspendu pour retard de paiement. Ce scénario infernal ne semblait pas tellement le remuer. Il me donnait même parfois l'impression de s'amuser : simple façade ou le seul moyen de s'en sortir ? Je n'en sais toujours rien ! Ce qui est clair et précis, c'est que pour ne pas perdre son emploi, il lui a d'abord fallu se compromettre contre son gré. Dans ce jeu du chat et de la souris, mon mari disait avec fierté savoir ce qu'il faisait, mais je considère qu'avec leur jeu, ils sont parvenus en grande partie à nous détruire.

Quelques années après notre mariage, il opta pour un travail supplémentaire en soirée, deux ou trois fois par semaine, comme opérateur de cinéma. J'ai été la première à sourire à cette offre, puisqu'il n'était pratiquement jamais à la maison. Comme il aimait beaucoup le cinéma, je me suis dit qu'il allait ainsi pouvoir voir tous les films gratuitement, et faire des gains plutôt que de dépenser !

Mais ma vision des choses changea rapidement. Tout se révéla n'être qu'un guet-apens supplémentaire : les supposés amis, le cinéma qu'il vénérait et la patronne qui envoyait une serveuse lui offrir une bière. Une gentillesse en appelle toujours une autre… Tout cela a fait qu'enceinte de mon troisième enfant, même dans la tenue de mes vingt ans, je me suis sentie terriblement vieille…

Pendant plus de quinze ans, beau temps mauvais temps, mon mari a été à son poste. Si, pour la majorité des gens, cette exigence était invivable, pour lui, ce travail donnait une certaine liberté : une échappatoire ouvrant la porte aux rencontres. Au fil des saisons de sa vie, il s'octroya quelque peu le rôle de protecteur de la boîte : la matière grise. Sa plus belle qualité aura été sans l'ombre d'un doute celle d'embarquer dans tout ce qu'il a fait, en donnant le maximum. Autrement dit, il fut un bon employé qui n'a pas toujours été reconnu à sa juste valeur. Il n'a cependant fait que glisser dans un semblant de vie maritale et de paternité.

J'ai tenté de le ramener à la réalité et à ses véritables responsabilités. Mais pour lui, seule la jalousie me faisait réagir ainsi. Il ne faisait rien de mal... Son petit luxe, comme il se plaisait à me répéter, il se le payait en travail supplémentaire. Je n'avais donc pas un mot à dire.

Au regard de ma mère, je détenais tous les éléments nécessaires à une vie valorisante et, sans trop le réaliser, j'ai cultivé cette duperie. Je me devais sans doute de m'accrocher à quelque chose. L'image du bonheur que je projetais ne pouvait pas m'être véritablement maléfique. J'ignorais cependant qu'elle allait à long terme le devenir car, tôt ou tard, la vérité nous rattrape.

Notre première campagne électorale ensemble nous fit connaître une longue période d'angoisse : mes parents votaient rouge et les siens bleu. Si, chez moi, on parlait peu de politique, chez lui, par contre, c'était le principal sujet de conversation à longueur d'année. Et l'approche des élections n'était rien pour arranger les choses.

Je me souviens d'un jour de Noël, il s'en fut de peu pour que sa mère nous montre la porte. Tout simplement parce qu'il avait osé dire que le premier ministre provincial, Robert Bourassa, était pour la venue d'un syndicat et qu'il allait, pour cette raison, lui donner son vote. Un de ses oncles en visite l'écrasa sous un flot de mots disgracieux, comme s'il avait été un chien galeux dans cette maison. Et la seule personne dans la famille qui osa prendre la parole fut celle qui n'aurait jamais dû le faire. Elle amplifia davantage l'explosive situation en clamant que le jour où il serait sans travail, la faim lui donnerait peut-être assez mal au ventre pour qu'il voie de quoi les libéraux étaient capables ! Nous sommes revenus très tôt à la maison parce qu'il travaillait au cinéma. Je me sentais humiliée pour lui. Les mots peuvent s'avérer être des armes puissantes.

Au départ du dernier de ses enfants, Laurette se fixa comme but d'améliorer sa qualité de vie. L'arrivée de son chèque de pension de vieillesse lui permit quelque peu de mettre en chantier une partie de ses modestes rêves. Ses rénovations s'étalèrent sur un peu plus de cinq ans.

L'arrivée du téléphone dans le rang obligea mon père à s'humaniser, les secours et la justice pouvant venir vite. Il savait aussi qu'aucun de nous ne fermerait les yeux sur de nouveaux bleus infligés à notre mère. C'était réconfortant pour Laurette. Il se passait maintenant le poing sous son propre nez : comme c'était le sien, il lui faisait attention. Lorsqu'il nous offrait ce spectacle, maman, quelque peu gênée de le voir agir en bébé, riait, mais après les rires venaient toujours les larmes. L'amour est une force qui donne envie d'oublier les incartades, encore et encore.

Lorsque j'étais enfant, les voisins disaient parfois avec humour que mon père possédait les chevaux les mieux domptés du comté. C'était sans doute vrai, car ils devaient se conduire seuls de l'hôtel à la ferme, alors que mon père cuvait naïvement son Saint-Georges (vin bon marché acheté au gallon) en chantonnant, les cordeaux passés par un trou et noués dans la voiture, histoire de pouvoir les reprendre sans les échapper. Il avait aussi compris avec le temps qu'en gardant autant que possible le même attelage, il sécurisait ses allées et venues. Mais dans l'ère de la modernisation, il s'était finalement résigné à en troquer quelques-uns contre un tracteur. Ce n'était pas très sécuritaire, puisqu'il allait de la ligne médiane à l'accotement et qu'il tirait sur son volant de toutes ses forces avant de penser aux freins.

Durant ce temps, à quelques kilomètres de chez mes parents, je continuais à me battre pour garder un peu d'illusions sur ma vie de couple. Se sentant rejeté par sa famille à cause de ses allégeances politiques, mon mari semblait se battre contre lui-même afin de parvenir à couper son propre cordon ombilical. Lorsqu'on a mal, on en veut souvent au monde entier, et ça commence malheureusement par ceux qui sont le plus près de nous ! Il est difficile de concevoir que des familles se soient déchirées pour des divergences d'opinions politiques, alors qu'en arrière-scène, la grande majorité des personnages politiques sont souvent de grands amis qui se respectent.

⌣

L'une de mes grossesses fut tout particulièrement difficile et, au terme de cette dernière, mon médecin décida de m'amener avec lui à l'hôpital. En route, il s'arrêta pour obtenir la signature de mon mari, advenant qu'une chirurgie s'avérerait nécessaire. Je rageais intérieurement de ne pas pouvoir moi-même prendre position sur ma propre vie et celle de mon enfant. Je dépendais de mon mari, lui qui n'était jamais là ! Et qui m'avait menée inconsciemment par ses agissements à l'épuisement, au point de mettre en danger ma vie et celle de notre enfant. L'accouchement fut décidé, provoqué, et je l'ai subi tout comme mon bébé, qui en a gardé des séquelles. Toutes les supplications pour me permettre d'accoucher librement furent vaines. On me chloroformait. C'était la manière de faire !

— Arrachez-y pas les dents ! cria le médecin. C'est pas un dentier. Mettez-lui le masque !

Les accouchements, à la fin des années 1950 et au début des années 1960, ressemblaient souvent à de véritables amputations. On endormait les femmes, bien avant que le travail ne devienne insupportable, afin de ne pas les laisser souffrir inutilement. À leur réveil, elle n'avait plus de ventre, et les mains mille et une fois croisées sur l'abdomen donnaient à la mère au réveil une impression de chute libre. Par la suite, le milieu médical s'est mis à prévoir le choc émotif en mettant des oreillers sur le ventre de la mère qui, une fois bien éveillée, était heureuse de les enlever à son rythme.

Pour moi, rien n'avait été facile tout au long de ces derniers mois et, sans le réaliser, j'avais mis toutes mes énergies aux mauvais endroits. Je devais distancer la venue de mes enfants. Mon médecin, trop pratiquant à cette époque, gardait pourtant au fond de son tiroir des pilules anticonceptionnelles. Il fallait obtenir la permission d'un prêtre. N'oublions pas que le pape s'y oppose toujours. Sans doute le dos un peu courbé par la gêne et l'humiliation, j'ai décidé d'aller rencontrer un père séjournant en paroisse, le temps d'une retraite. Ce fut une erreur ! Il me traita comme une prostituée à la recherche de son plaisir, qui ne voulait pas assumer ses responsabilités. Je suis redevenue enceinte peu de temps après cette rencontre.

Entre-temps, les élections remportées par le Parti libéral vinrent faire perdre des centaines d'emplois détenus par des conservateurs depuis déjà plusieurs années. Cette élection amena la grande majorité des cultivateurs de l'époque à se retrouver au gouvernement. Ce fut le début de la presque disparition des vaches laitières de la paroisse, ce qui entraîna par le fait même l'abandon de belles terres et amena les fermes à devenir des dortoirs.

Mon mari se présenta à son travail à l'heure habituelle avec la peur au ventre comme tous les anciens. Les barrières étaient fermées. C'était au tour des rouges à mener…

Avant la venue des syndicats, il n'y avait pas de transmission de pouvoir : aussitôt que les élections étaient gagnées, les emplois étaient pris par ceux qui détenaient le nouveau pouvoir. Les compétences, dans la grande majorité des cas, venaient par la suite, lorsqu'elles venaient…

— Toi, t'es dehors !

— Toi aussi !

— Toi, tu rentres pour l'instant ! cria un des nouveaux dirigeants à mon mari.

Personne n'avait découvert de quel bord il avait voté, pas même moi !

Quelques jours plus tard, mon père est venu nous dire très tôt un matin de ne pas nous inquiéter, le député lui avait promis sa protection.

— Écoute, mon gendre, advenant que Courcy r'vienne su' sa parole pour ta protection, on s'arrangera. Les vaches donnent du lait en masse pour les enfants pis les repas. J'ai une coupelle de belles grosses taures qu'on pourra abattre pour se nourrir. Si ça force trop, la maison est grande. J'ai mes défauts, mais j'voulais qu'tu saches que ma famille a toujours mangé ses trois repas par jour. Ben astheure, t'en fais partie !

Je dois avouer que je me sentais mieux dans mon nouveau rôle : je n'étais plus sa fille, mais bien la femme de son gendre. Il y avait là toute une différence !

Venant d'une famille de bleus, mon mari se trouva dans l'obligation d'être vu en compagnie des rouges, c'était primordial. Pour garder son emploi, il dut devenir une marionnette qui se devait de suivre et d'obéir à leurs règles. C'était l'époque où il fallait être du bon bord : c'était la seule sécurité d'emploi existante. Les syndicats essayaient de trouver des membres, mais pour une grande majorité, la peur semblait plus grande que les bénéfices.

Devant un échec, on dit que les deux ont des torts ! Personnellement, je crois que c'est l'agencement de faits divers, qu'on laisse aller au fil du temps ou que l'on doit subir, qui devient le premier agent responsable.

— Arrête de t'plaindre ! C'est moi qu'on traque. J'ai pas le choix ! Y faut que j'aille prendre un verre avec eux autres ! Autrement, y me laisseront jamais tranquille. Y sont une écœurante de gang après moi à me faire boire, pour que je parle. Sois tranquille, y m'auront pas ! J'te le jure !

Le seul temps me donnant l'impression d'avoir véritablement un mari, c'était le dimanche : il n'allait presque plus à l'église, mais il lisait la Bible. Il aurait probablement été plus sage que je profite de ce temps pour créer des liens avec lui, mais j'étais loin de penser de même ! Il me semble que c'était le seul jour où nous avions du temps à nous. Il me parlait parfois du jour où nous posséderions notre maison :

— Tu vas voir, j'vais inventer un système ultramoderne. Lorsqu'on va fermer la porte des toilettes, y a un disque d'anglais qui va s'mettre en marche. À force de l'entendre, les enfants vont finir par le comprendre !

Je trouvais l'idée un peu saugrenue, mais je n'avais rien contre. Comme méthode, c'était original et cela aurait très bien pu fonctionner. Quand je regarde derrière moi, je me dis que mon mari n'a jamais été jusqu'au bout de ses idées et possibilités. Je le regrette autant pour lui que pour moi et nos enfants.

— Y vont l'apprendre l'anglais. J'aurais eu de l'avancement si j'avais été capable de me débrouiller. Pis à part de ça, mes gars, y vont faire de l'armée. Dans vie, ça prend de la discipline pour réussir à faire quelque chose. Le gouvernement va bien finir par se déniaiser et rendre le service obligatoire comme aux États-Unis.

Je pense que toutes les mères du monde voudraient toujours être quelques pas devant leurs enfants afin de les protéger, et je me sentais blessée par ses désinvoltes paroles.

Mon quatrième enfant avait quatre mois lorsqu'il fut obligé de séjourner pendant plus de deux mois à l'hôpital Sainte-Justine de Montréal. Avoir un enfant malade à plus de huit heures de route du domicile, et ne pas avoir les moyens de faire le trajet juste pour aller le voir fut très difficile à vivre. Ce n'est vraiment pas d'aujourd'hui que les travailleurs sont pauvres au Québec ! Et ceux qui croyaient faire mieux n'ont fait qu'agrandir l'écart entre les classes sociales.

Je me suis une fois de plus sentie terriblement coupable, et j'ai décidé que Dieu n'entrerait plus dans ma chambre à coucher. Trois ans plus tard, ma cinquième grossesse m'apparut comme une glorieuse remontée dans les bonnes grâces du Seigneur. Douleurs aux ossatures et fièvres vinrent rendre les derniers mois particulièrement difficiles.

Au moment de l'accouchement, je ne voulais aucun calmant de peur de m'endormir pour toujours. Ayant été plus de deux ans sans avoir d'enfant, je croyais que je devais acquitter une note. L'heure de la revanche venait peut-être déjà de sonner. Je devais aussi m'accuser de ne pas avoir réussi ma vie maritale. J'en étais venue à croire que si mon mari buvait, c'était probablement à cause de moi. Devant mon désarroi, la religieuse qui me recevait m'offrit de faire venir le prêtre. J'ai sauté corps et âme sur son offre, comme une épave. J'eus la chance de tomber sur un prêtre compréhensif, qui apaisa mon esprit au lieu de le rendre encore plus trouble. Treize heures plus tard, mon regard se posa sur une infirmière près de mon lit. Un grand crucifix était suspendu sur le mur juste en face de moi.

— J'ai pas les moyens d'avoir une chambre privée.

— C'est gratuit lorsque c'est le médecin qui le décide.

— Il me semble qu'elle a un quelque chose de bizarre.

— C'est la plus tranquille. Le médecin a voulu vous isoler un peu parce que vous faites de la température. Vous en parlerez avec lui. Vous avez un beau gros garçon.

C'était mon quatrième enfant à naître à l'hôpital, mon premier étant né à la maison. Je savais que pour le voir, je devais me rendre en fauteuil roulant jusqu'à la vitrine de la pouponnière, et la permission devait venir de mon médecin traitant. En attendant, il me fallait demeurer bien tranquille à me reposer en espérant avoir le droit le plus rapidement possible d'aller voir mon bébé. Nous étions à l'ère du Similac, l'allaitement maternel aujourd'hui si précieux étant devenu périmé aux yeux du monde médical.

La mère ne pouvait toucher à son bébé qu'à sa sortie, quatre ou cinq jours plus tard. On voulait ainsi protéger la pouponnière des microbes. Dans les années 1960, les pouponnières pouvaient facilement abriter une bonne vingtaine de poupons, et deux ou trois autres dans des couveuses. C'était très joli, le petit lit vitré de chaque bébé portait une carte d'identité rose pour les filles et bleue pour les garçons. Lorsque la mère arrivait devant la pouponnière, on lui amenait son bébé en avant de la vitre, afin qu'elle puisse l'admirer. Que les choses changent! Aujourd'hui, le bébé cohabite avec sa mère. Elle l'allaite, le lange, lui donne son bain, et quitte souvent l'hôpital le lendemain. En ce qui concerne les prématurés, on les dirige tout de suite vers Montréal.

De retour à la maison, j'ai continué à éprouver des douleurs au niveau de l'ossature lombaire et à avoir une légère fièvre. Mon médecin m'expliqua que c'était probablement normal. Autrement dit, ça ressemblait à des perturbations psychosomatiques. Même si je n'étais pas d'accord avec sa manière de voir la situation, je fus incapable de l'amener à pousser plus à fond les recherches. Je ne disposais véritablement pas de temps en trop pour me complaire dans des problèmes fictifs. J'avoue cependant que le tourbillon de ma vie de couple grugeait beaucoup d'énergie. Replié sur son rôle de père nourricier, mon mari en était venu à ne m'adresser la parole pratiquement que pour me faire des reproches sur l'éducation de l'un ou l'autre de mes enfants. Ce n'était jamais nos enfants, sauf si un aspect positif explosait aux yeux de tous. Non, c'était les miens. Petit à petit, je me suis laissé envahir par cette idée.

— Je suis parti de chez mes parents à vingt-trois ans, me répétait souvent mon mari, et je demandais la permission à ma mère avant d'ouvrir ses portes d'armoires. On demandait et elle nous servait, répétait-il, comme si cela avait pu lui conférer une certaine gratification, sans que je puisse trop saisir sa remarque.

Mais moi, je n'avais ni le temps ni la force de les éduquer comme les derniers bourgeois d'un temps révolu et, franchement, je peux le dire, ni le désir. J'avais l'impression de ne rien faire comme sa mère, donc de ne pas être correcte, et plus j'essayais de suivre ses traces, plus j'échouais. Il a tissé entre elle et moi, sans trop le réaliser, une idée de concurrence, à une époque où la femme n'était valorisée que dans son royaume : la maison !

Pour mon mari, du plus loin que je me souvienne, tout devenait prétexte à passer la porte et, dans son incessant besoin de prendre tranquillement sa bière, il avait appris avec doigté à tourner mots et gestes en sa faveur. Il m'a souvent donné l'impression d'être en concurrence directe avec les enfants ! Et par le fait même envers moi, comme si le scénario de la vie ne se résumait qu'à un jeu de force. Dès le départ, il n'a pas su prendre sa place dans l'éducation des enfants. Par la suite, il s'est probablement senti dépassé. Je pense que ce que les enfants ont majoritairement appris de lui, ils l'ont acquis avant l'âge de dix ou douze ans. Pourtant, il aurait tellement pu leur donner, et même encore aujourd'hui.

Qu'on le veuille ou non, dans la vie, tout n'est qu'enchevêtrement, et devant la souffrance, il faut parfois aller chercher un médecin qui ne sait rien de notre vie personnelle. Je parvins finalement à obtenir un verdict médical : un certain effritement de l'os iliaque. Quatre jours plus tard, j'étais admise à l'hôpital Maisonneuve de Montréal. Il était temps ! S'il est possible d'être heureux en apprenant qu'on a un problème physique, je le fus ! Certaines petites insinuations venant de ma belle-famille m'amenaient à me demander si mes problèmes n'étaient pas que d'ordre psychologique…

Dire que j'espérais me reposer dans le mariage ! J'étais certaine que ce dernier allait me mener vers une certaine félicité : plus de problèmes, une sécurité à toute épreuve et de l'amour plus qu'il n'en faut ! Cet amour même dont j'avais toujours rêvé. Je croyais réellement qu'en me mariant, j'avais pris la direction du bonheur : la bonne direction qu'il suffisait de suivre pour réussir une vie de couple. Comment aurais-je bien pu savoir en me mariant que rien n'était aussi simple, et que les embûches se multiplieraient avec mes idées préconçues ? En fait, la vie est une toile qu'il faut tisser avec amour jour après jour en la protégeant des grands vents.

Allongée sur mon lit d'hôpital, à un pas de me croire en vacances pour la toute première fois de ma vie, je découvrais le temps : du temps pour m'ennuyer de mes enfants, du temps pour penser, du temps pour réfléchir, du temps pour rêver et du temps pour pleurer sur des attentes bafouées !

Je me devais de regarder la réalité en face. La certitude qu'il suffisait de vouloir pour pouvoir étant psychologiquement ancrée en moi, il m'était impossible d'accepter que mon mariage ne puisse être qu'un échec irréversible. Je connaissais pourtant la réponse, mais je nourrissais la dualité. Certains diront par force, d'autres par faiblesse ; personnellement, je dirais un mélange des deux ! J'avais joué l'amour, les petits plats, les pleurs, la prière, la supplication, les crises, l'autonomie, et j'avais perdu. Tout n'avait été que futilité et perte de temps.

J'ai souvent pensé que le manque d'argent avait joué contre nous, et je le crois toujours. Lorsqu'on travaille et qu'on ne parvient pas à se sortir du seuil de la pauvreté, on finit par ne plus rien voir d'important. Dans les années 1950 et 1960, et dans une partie des années 1970, être fonctionnaire, c'était un peu être missionnaire. Les gens tenaient le coup parce que la paye arrivait régulièrement, et qu'une pension assurait une certaine indépendance financière pour les vieux jours. Il faut avoir des problèmes financiers pour savoir tout ce qui en découle, tout ce qu'ils font apparaître : l'incertitude, la peur, l'angoisse et même la gêne ! Je pense qu'il n'y a rien de plus déchirant que l'accoutumance à une espèce d'insécurité permanente, qui mène à une diminution de soi. Quarante ans plus tard, on commence à peine à s'interroger sur la pauvreté de ceux qui travaillent, mais on ne fait toujours rien pour remédier à la situation.

J'ai été rappelée à Montréal, quatre fois en six mois pour des traitements, puis mon médecin s'est exclamé :

— Vous avez gagné, vous avez eu de la chance !

C'est une phrase que j'ai souvent entendue. Si mon enlisement s'était fait quasi à mon insu, la montée prit une allure bien différente, et à mesure que mes forces revenaient, je me sentais bouillir d'énergie. Je découvrais mes enfants avec des yeux neufs, et l'envie de leur offrir la possibilité d'un avenir meilleur me donnait à rêver. Je devais cesser de dépendre autant de mon mari. Il le fallait ! Je devais recommencer à agir comme un homme et décider, et je l'ai fait !

Mon premier contrat, si je peux m'exprimer ainsi, fut de nous sortir d'un logement convenable pour trois, alors que la famille comptait maintenant sept personnes. Je venais à peine de commencer mes recherches lorsque je vis, dans le carreau d'une maison aussi grosse que vieille, un écriteau « À louer » difficilement lisible en cette sombre soirée d'octobre.

Cette maison était située juste en face de l'école où allait mon seul enfant en âge scolaire. Elle convenait à nos besoins en tous points, pardon ! à mes besoins et à ceux de mes enfants ! Il y avait même un appareil de chauffage central, ce qui signifiait que nous pouvions l'utiliser selon nos désirs ou nécessités. Elle comprenait aussi une salle de bains complète : mes enfants n'avaient encore jamais connu le plaisir de s'amuser dans un véritable bain. Elle contenait, en plus, un endroit pouvant recevoir une laveuse et une sécheuse. Le règne de la vieille laveuse et du tordeur (essoreuse) de la belle-mère venait de prendre fin. Et pour clore le tout, les feuilles de gigantesques peupliers venaient frôler la majorité des fenêtres. Je sais que c'est idiot, mais j'avais un peu l'impression d'arriver dans un château. Ce n'était cependant pas l'avis de mon mari, et il usa de toute son autorité afin de me ramener à la raison ! Mais il n'était pas question pour moi de céder.

Je pense que chaque fois qu'il y a un affrontement avec la personne qu'on aime, parce qu'on a la certitude d'avoir raison, on commence malheureusement à s'en distancer. D'abord, si l'affrontement se fait avec force, c'est qu'il n'y a plus ou pas d'égalité dans le couple. Il y en a un qui plie, et un qui fait plier. Le danger, dans une pareille relation, c'est que généralement, tôt ou tard, les rôles s'inversent. Contre lui, ce fut malheureusement mon premier pas; c'est toujours le plus difficile, après les choses s'enchaînent…

— Qu'est-ce que les gens vont dire?

Mais moi, je m'en fichais de ce que les gens pouvaient penser ou dire!

— On va avoir l'air de beaux grelots. Voir si ça se fait de laisser une maison construite depuis huit ans contre une qui date d'une cinquantaine d'années. Pis moi, de la peinture, quand je vais en faire, ça va être dans ma maison, ça fait que c'est inutile de compter sur moi.

Selon lui, je n'avais pas le droit de faire ça, de lui faire ça! Mais moi, je venais de décider que je n'accepterais plus de fenêtres barricadées à longueur d'année. En agissant ainsi, je mettais hors de ma vie toutes les conventions sociales, à savoir que c'était à lui de prendre les décisions. J'entrais dans ma petite révolution tranquille, l'ère de mon moi, et il n'était plus question de tenir compte des objections de mon mari. Je voulais pour mes enfants, dans la mesure du possible, ce qu'il y avait de mieux, et je le voulais tout de suite! Si j'ai eu le courage d'aller jusqu'au bout, c'est probablement parce que mes enfants jubilaient de bonheur à l'idée de déménager dans ce grand appartement.

Ma mère pleura de joie en le voyant, même si les deux couches de peinture jaune pâle n'avaient pas fait disparaître complètement le vert foncé des murs:

— Mon doux Jésus! s'exclama-t-elle, tu vas être bien ici! Juste devant l'école, de biais avec le presbytère et l'église. Quand je pense que les enfants vont enfin avoir un endroit pour jouer dehors!

Je ne lui ai jamais dit que mon mari n'était pas d'accord avec le déménagement. J'avais gagné, c'était suffisant. Mais j'ignorais à quel point ce n'était que le début d'une longue bagarre. Ou bien qu'avant d'atteindre un certain apogée, j'allais éprouver le seul sentiment alors insoupçonnable en moi: la révolte!

Ayant souvent entendu mon mari dire qu'il se sentait étouffer dans notre petit loyer, je m'étais imaginé qu'une fois le vent tombé, il allait en être très heureux. J'avais spéculé, déduit que…

comme si l'on pouvait changer les autres sans leur assentiment. Par certaines facettes, mon mari ressemblait drôlement à mon père, et moi, je ne voulais surtout pas ressembler à ma mère !

Je savais que la situation n'irait probablement pas en s'améliorant, je devais plutôt m'attendre au contraire. J'avais vingt-quatre ans, et je réalisais bien malgré moi que je devais continuer à prendre ma vie en main. Je n'avais plus de temps à perdre ! J'avais bâti sur un sol que je croyais à toute épreuve, mais ce dernier, à tort ou à raison, me semblait sans véritable fondement. Il me fallait maintenant remédier à la situation.

Je me suis inscrite à des cours de cinquième année par correspondance, en français et en mathématiques. Deux ans plus tard, j'entrais en première secondaire à l'école du soir. J'espérais alors aller chercher une troisième ou quatrième secondaire, m'imaginant pouvoir obtenir par la suite un travail convenable. Il est plus sage de partir naïvement avec des petites attentes que d'attendre et d'aller nulle part ! La venue de ces cours étant chose nouvelle, le nombre de personnes intéressées au départ fut fort impressionnant, mais cela ne dura que le temps d'une flambée. C'est ainsi que l'objectif atteint, il ne restait plus qu'un étudiant sur cinq ! J'étais à la merci des autres pour me rendre à l'école lorsque mon beau-père s'acheta une nouvelle auto en rangeant au fond de la cour sa vieille Monarch vert pomme. Je profitai de l'occasion pour convaincre mon mari de devenir propriétaire, pourvoyant cependant à la facture en faisant du grand ménage et le lavage des parquets de belle-maman le samedi, et laissant par le fait même mes enfants seuls à la maison. Car mon mari était souvent occupé : machines du cinéma à graisser, pièges à relever avec un de ses frères, heures supplémentaires à son travail, comptabilité dans un garage, sans oublier la tournée des bars.

Comme l'argent manquait toujours, et pour subvenir à mes besoins financiers, je me mis à faire de la surveillance d'élèves tôt le matin et sur l'heure du dîner. On me suggéra alors de donner mon nom à titre de suppléante : ce fut la solution à mes problèmes financiers. C'est ainsi que je pris contact avec cette profession à la fois exigeante et valorisante. Je savais maintenant où était ma route, mais pour y parvenir, je devais demander et exiger les examens du ministère de l'Éducation. J'avoue que ce ne fut pas toujours facile : les étudiants inscrits aux cours du soir réclamaient majoritairement des cours de français, d'anglais et de mathématiques parce qu'on exigeait de plus en plus d'eux dans leur milieu de travail. Comme il fallait un minimum d'inscriptions pour obtenir ces cours, je me suis souvent retrouvée uniquement avec des livres. Dès le départ, j'ai eu l'impression que l'équipe en place à la commission scolaire Abitibi désirait me voir aller de l'avant dans mes projets. Étant donné que je n'avais jamais véritablement reçu d'appui tangible dans la vie, cette espèce de soutien prit pour moi une importance quasi démesurée. Je me devais de mériter la confiance qu'on semblait me témoigner.

Certains dirigeants et professeurs m'ont fait découvrir, à leur insu, toute la puissance qu'un maître peut avoir sur un élève. Je n'ai jamais oublié qu'il suffit parfois de bien peu pour insuffler de grands rêves.

J'étais en cinquième secondaire lorsque le gouvernement fédéral décida de payer pour faire instruire les chômeurs. Tous ceux qui, comme moi, étudiaient sans aucune aide financière et n'avaient pas droit à la portion du gâteau abandonnèrent massivement. Je me suis, par conséquent, retrouvée dans un petit groupe allant à l'école pour le plaisir.

Mon premier cours de français se révéla catastrophique ! J'avais pourtant réussi à l'obtenir dans ma propre ville. J'étais la seule personne inscrite aux examens officiels, et chaque fois, mon professeur disait : « Il nous faut voir ça pour madame Catherine. » Si le groupe n'y voyait pas un côté facile et agréable, certaines personnes, pour ne pas dire certaines dames, ne se gênaient pas et insistaient pour apprendre quelque chose de plus léger. Cela se nomme l'approbation de la majorité ! Mon professeur adorait tout particulièrement réciter les *Sonnets pour Hélène* au début et à la fin des cours :

Quand vous serez bien vieille, au soir à la chandelle.
Assise auprès du feu, dévidant et filant.
Direz, chantant mes vers, en vous émerveillant :
« Ronsard me célébrait du temps que j'étais belle ! »

⌣

Ce fut lamentable, mon premier et dernier échec: Ronsard n'était pas de la partie. Je lui en ai voulu un certain temps de s'être aussi peu soucié de mes besoins. Dans le domaine de l'enseignement, il y a de la racaille qui s'infiltre et trouve protection au détriment des élèves.

Parallèlement à mon cours de français, j'avais un cours d'anglais, mais les choses étaient bien différentes.

— Tu dois apprendre à bien posséder telle règle, me disait régulièrement mon professeur d'anglais en me distribuant des feuilles supplémentaires et en les offrant sur une base volontaire à ceux et celles qui le désiraient.

Humour et sarcasmes ne faisaient pas partie de ses armes, il devait connaître la distinction entre une attestation et un certificat. Les deux sont bien différents !

Surveiller plus de deux cents élèves du secondaire n'a jamais été de tout repos, ni faire de la suppléance ! Par la force des choses, il m'a fallu apprendre à mener de front le travail, les études et la famille. Mais ce qui me grugeait le plus, c'était de ne pas pouvoir m'appuyer sur mon mari. Je m'accrochais et m'obstinais à vouloir à tout prix sortir mon mariage de la ruine. Je l'ai fait par amour pour lui, par orgueil aux yeux de tous, et comme le voulait ma sainte mère l'Église catholique. Une chose est certaine, personne ne peut imaginer tout ce que j'ai fait dans l'espoir que les choses s'arrangent entre nous deux. Je me suis épuisée physiquement et psychologiquement pour me retrouver ensuite isolée, frustrée, intransigeante, agressive et seule. Durant ce temps, il passait ses soirées et souvent une partie de ses nuits dans un quelconque bar, à faire la conversation avec l'un ou l'autre.

L'arrivée du syndicat n'a pas tout réglé. À la signature de la première convention collective, certains incompétents en place n'étaient pas prêts à tout perdre. Ils ont seulement été quelque peu dépossédés de leurs pouvoirs tyranniques.

Lorsqu'on a perdu sa dignité dans le jeu de l'intimidation, ce n'est jamais facile de la reconquérir. Pour mon mari, qui avait des gènes nocifs qui l'amenaient au laisser-aller, l'habitude de sortir s'était enracinée. Dans la vie, il y a toujours une ligne qui, une fois franchie, retient ceux et celles qui se pensent libres. Ils ont beau voir le tort qu'ils s'infligent, les blessures qu'ils font subir à ceux qui les aiment et qu'ils aiment aussi, ça ne change rien.

— Je ne fais rien de mal ! me répétait-il.

Nous n'avions pas la même vision de la situation. Pour moi, le seul fait de ne pas être à sa place, de ne pas prendre toutes ses responsabilités envers nous, c'était me tromper ! Je ne suis jamais parvenue à le lui faire comprendre. Selon lui, il nous donnait financièrement ce qu'il pouvait: il ne pouvait faire davantage. Il n'a pas compris que la présence de ceux qu'on aime tient le haut du pavé !

Vers la fin de mon secondaire, avec deux de mes compagnes, Florence et Françoise, je me permettais quelques petites sorties après les cours pour manger un hamburger et des patates frites. De temps à autre, ça pouvait entrer dans mon budget. Un de ces soirs-là, je ressentis une forte douleur dans la poitrine en me couchant, et seule ma main droite semblait pouvoir obéir. Je tentai de réveiller mon mari qui, pour une rare fois, me devançait. Je me rappelle avoir eu l'impression de flotter à trente-cinq ou quarante centimètres au-dessus de moi... J'étais bien. Mon regard s'arrêta soudain sur un linge d'enfant oublié sur ma table de chevet. Je devais revenir. Je n'avais pas qu'un mari, j'avais aussi des enfants ! Quelques secondes ou minutes plus tard, je ne saurais le dire, la douleur m'obligea à ouvrir les yeux. Je n'osai pas bouger, mon cœur semblait battre d'une étrange façon. Mon mari ronflait toujours, j'étais heureuse qu'il soit là, mais je ne pouvais m'empêcher de penser que même s'il était présent, j'étais seule.

La logique me dictait de demeurer calme, mais les larmes coulaient malgré moi: trop de séquences de ma vie m'échappaient... J'avais l'impression d'être en pièces détachées, et j'ai toujours cette impression d'être un puzzle mille et une fois refait, sans aucun égard. Le lendemain, mon médecin, tout surpris, me confirma que j'avais une lésion au cœur. Cardiologue, électrocardiogramme, petite pilule magique à me glisser sous la langue. Je devais surtout apprendre à contrôler mes émotions, à me reposer et à prendre de grandes respirations: tout va bien, tout est bien correct, ça baigne dans l'huile… J'agis toujours comme un homme, mais je l'ignore.

On me conseilla fortement d'arrêter temporairement mes études, mais il ne pouvait en être question, surtout en fin de session. La peur m'obligea et m'aida à mieux surveiller mon alimentation, d'autant plus que j'avais au fil du temps récolté un ulcère d'estomac.

Dans l'introspection, j'ai peine à me reconnaître, moi, jadis si douce, si flegmatique. Je découvre malgré moi que l'enchevêtrement des événements de mon existence a fait de moi un fauve blessé, toujours aux aguets, prêt à attaquer. J'en ai voulu à la vie d'avoir suspendu ce glaive au-dessus de ma tête, comme si elle ne s'était pas suffisamment acharnée sur mon petit vécu. Je pense qu'à certaines heures, j'aurais été capable de déchiqueter ceux qui auraient osé s'approcher de moi pour m'offrir leur aide. Ce fiel m'a fait atteindre malgré moi un gouffre incroyable, fruit de la sournoise culpabilité qui était cachée dans les moindres replis de ma conscience, me donnant à croire que j'avais quelque part manqué à mon devoir.

Un an plus tard, l'électrocardiogramme révéla qu'il n'y avait plus de trace de lésion. Le soleil se levait et je pouvais poursuivre mes études sans inquiétude. Financièrement, je m'en sortais assez biens puisque j'enseignais de deux à trois jours par semaine, sans oublier ma surveillance.

L'obligation de devoir faire deux heures de route par soir de cours me fut souvent un véritable calvaire. Puis, petit à petit, je me mis à profiter de ce temps pour réviser et approfondir mes cours et travaux par image mentale. Mais il fallait d'abord que je parvienne à me détacher de ce qui faisait corps dans mon quotidien. C'était souvent plus facile à dire qu'à faire !

Que de fois n'ai-je pas trouvé mes enfants vêtus dans leur lit ou encore endormis sur le plancher, bottines bien lacées, faisant parfois des soubresauts me prouvant qu'ils avaient longuement pleuré avant de s'endormir. Je me sentais coupable, mais je ne voyais aucune autre issue possible. Je devais poursuivre ma route autant pour eux que pour moi, et je l'ai fait !

Je me souviens d'un soir d'octobre où j'avais oublié ma clef. Il pleuvait à boire debout et le trajet avait pris bien près de trente minutes de plus. Il devait être 23 h 30. Confortablement assis dans le salon, mon mari regardait la télévision. Je frappai à la porte pour lui indiquer que je n'avais pas mon trousseau. Devant mon insistance, il passa devant moi pour aller se coucher. La porte n'ayant pas de carillon, il me fallut me rendre au restaurant pour téléphoner et parvenir à réveiller un de mes enfants.

— Votre mari vient tout juste de partir d'ici, il doit bien être chez vous, me dit la propriétaire.

Je ne dis rien. Une telle vérité, on ne peut que la cacher, à moins d'avoir atteint l'indifférence totale, et j'étais à des millénaires de ce sentiment. Mon mari me signifiait ainsi que je n'avais pas le droit d'arriver après lui. De plus, il savait, lui, tenir sa place, mais moi, je devais le tromper ! Il m'affublait des pires calamités et je me sentais toute croche ! Ma mère avait accepté l'absurde, et je faisais exactement la même chose, en espérant qu'elle ne découvre rien. Mon histoire me semblait bien différente ! Combien étrange est cette impression que notre histoire n'a aucune ressemblance avec celle des autres, alors que la vie n'est pourtant qu'un éternel recommencement !

Le nez dans les livres, je me sentais hors-la-loi ! J'essayais d'étouffer la culpabilité qui me sortait par les oreilles. Il me fallait me battre contre cette impression d'abandonner mes enfants, et poursuivre mes études. J'ai connu tant de désespoir au cours de mes années d'études que je ne parviens toujours pas à en parler. Et je glace chaque fois que je vois une personne aimée s'approcher de ce que j'ai fait :

— C'est pas pareil, moi, j'ai un mari pour m'aider et s'occuper des enfants, disait ma fille.

— Moi, c'est pas pareil, je demeure à dix minutes du cégep, disait mon fils.

Ce n'est jamais pareil… J'arriverai peut-être à le comprendre.

Entre mon mari et moi, tout n'était devenu que négativisme, et chaque tentative d'arranger un peu les choses semblait se retourner contre moi.

Je me souviens d'une fin de semaine de camping où il s'était aventuré sur le lac après un orage, en compagnie de deux amis. La nuit tomba, et il n'était toujours pas de retour : sur le terrain, tout le monde était un peu en alerte. J'avais autour de moi, dans la tente, tous mes enfants, et pour la première fois de ma vie, cela me semblait être la chose la plus importante du monde. Les heures suivantes, dans le calme de la nuit, je me surpris à penser que notre route venait peut-être de se terminer. J'étais triste, mais ce n'était pas dramatique. La mort amène une fin irrévocable, indépendante de notre volonté, sur laquelle on ne peut rien, alors que la séparation dépend de l'un ou de l'autre et laisse à tout jamais une plaie ouverte !

Ce qui rend le plus triste dans une telle situation, c'est de savoir qu'il aurait peut-être suffi de peu pour parvenir à se rejoindre, et être heureux. Les deux doivent cependant le vouloir ! Le fiel de la pensée me laissa au matin un goût amer : quel bas-fond avais-je donc atteint ? L'amour s'entremêlait aux sentiments d'incommunicabilité et de désespoir, mais du plus profond de mon être, sans que je puisse comprendre pourquoi, ma foi me dictait de croire en Dieu, et encore en lui. Dès l'aube, tout rentra dans l'ordre. Ce fut une raison de plus pour faire la fête, et on put raconter pendant longtemps qu'en somme, la pêche avait été bonne !

L'année 1960 ramena le grand voyageur au collège Notre-Dame et Laurette, certaine que c'était pour toujours, soupira d'aise. Et il recommença pour notre plus grand plaisir à nous rendre fidèlement visite chaque été. Devant quelque peu meubler son temps, il se découvrit une véritable passion pour l'ascendance généalogique : il fit de bien belles choses en ce domaine avec le doigté d'un grand artiste. Voyant son côté artistique et architectural, ses supérieurs décidèrent de le faire travailler à l'imprimerie. Puis, tel un coup de théâtre, en 1966, on le retourna en Inde.

— Le pays a besoin de toi ! Il nous faut rapatrier certains religieux malades.

— D'accord, mais laissez-moi le temps d'aller embrasser ma sœur en Abitibi, pis de faire mes malles !

— L'Abitibi, est ce bien nécessaire ?

— Pour moi, oui ! On rajeunit pas ni l'un ni l'autre.

Laurette en fut véritablement choquée :

— Voir si ça a de l'allure de te retourner là-bas à ton âge !
— C'est ma vie de missionnaire, y faut parfois la prendre avec un grain de sel.

Vers la fin de son dernier séjour, il lui confia, dans une lettre, commencer à trouver difficile d'amener les gens à jardiner, et de les voir glorifier la vache qui venait tout saccager, sans aucune intervention de leur part.

> *Je ne tente plus d'enseigner à tout prix, ni d'imposer mes idées et croyances aux Indous. Je les écoute, les regarde vivre et si je le juge nécessaire, je les amène dans le respect à s'interroger. C'est ce que j'aurais dû toujours faire ! Ici, je suis chez moi, comme probablement jamais je ne le serai au Canada, mais je suis un intrus. Aussi farfelues que puissent être leurs mœurs, un peuple en vaut un autre, et lorsqu'on franchit une douane, ça devrait être dans le respect de leurs us et coutumes. Dire que je me croyais brillant en arrivant dans ce pays, j'avais tout à leur enseigner ! Finalement, ce sont eux qui m'ont appris à voir la vie. Ils possèdent moins que le strict minimum, mais ils sont toujours prêts à partager, même avec un pur étranger. Je suis fier de mes nombreux puits, qui empêchent les femmes de marcher durant des heures pour aller puiser l'eau nécessaire. Je suis aussi très fier de mes écoles. D'ailleurs, plusieurs de mes anciens étudiants vivent à Montréal. De retour au Canada, ils pourront toujours compter sur moi, et moi sur eux. Ce sera mon héritage !*

Chapitre IX
La passivité

Chez mes parents, les travaux se poursuivaient. Je devrais plutôt dire que ma mère poursuivait ses rénovations, car je n'ai pas en mémoire le souvenir d'avoir vu mon père avec un marteau dans les mains ! Il avait comme une espèce d'acquis, et il lui suffisait de crier : « Y faudrait faire ça ! », pour que ses désirs prennent forme. Il pouvait par la suite se plaindre allégrement que ce soit mal fait.

— J'ai hâte que les travaux se terminent, me dit ma mère au printemps 1970. Je commence à être tannée. Si j'veux pouvoir en profiter un peu, chus mieux d'arrêter d'être dans le barda !

Ma mère employait ce mot pour signifier le ménage ou les travaux.

— J'aurais aimé pouvoir faire davantage, mais c'est pas avec les ouvriers que j'ai les moyens de m'offrir avec ma petite pension que j'peux espérer mieux.

Chez nous, tous les hommes étaient adroits de leurs mains : mon père, Gérard, Roland, pardon ! frère Gilbert. Ma mère éclata en sanglots.

— Voyons, maman ! Qu'est-ce qui s'passe ?

— Rien ! Chus juste fatiguée !

— Et…

— Je trouve que le rang est devenu terriblement ennuyant, les champs sont déserts, on est rendu avec juste des poules ! Les vieux sont partis ou y sont morts. J'ai mis tellement d'énergie à refaire mon nid que j'ai pas vraiment vu le vide se faire ! J'ai même été assez naïve une fois de plus pour m'imaginer que ton père finirait par trouver ça assez d'son goût pour prendre sa place !

Épuisée, elle établissait contre son gré un constat d'échec et d'impuissance à l'égard d'une situation qui n'avait fait que s'envenimer au fil des ans.

— Tu sais que l'Inde a été durement atteint, on parle de milliers de morts. J'ai téléphoné à Montréal, personne a eu des nouvelles de frère Gilbert. J'me demande ce que sa communauté a pensé, le retourner en mission à son âge! Y semblait tellement heureux de travailler à l'imprimerie, probablement trop! C'est à croire que ses supérieurs auraient préféré le voir avec une gueule de bois!

Elle s'arrêta brusquement sur ces mots, un peu comme si ses oreilles s'étaient offusquées d'un tel discours. Il faut dire qu'au cours de ses cinq années passées au Canada, il nous avait fidèlement rendu visite chaque été.

— Quand je pense que l'âge m'aura amenée à porter des jugements téméraires, comme si la misère se donnait tous les droits... Avant, j'me disais que tout allait finir par s'arranger pis que votre père allait finir par lâcher la bouteille! J'y crois de moins en moins...

Ma mère ayant toujours gardé l'espoir d'un meilleur lendemain, la tenue d'un tel discours avait un quelque chose de désarmant.

— Je t'avoue avoir bien de la misère à accepter la mort de madame Vaillancourt. Elle aura eu au moins la chance d'avoir vécu avec un bon bonhomme, mais j'peux pas dire que la vie l'a épargnée. Perdre trois enfants, ça doit être terrible à vivre, pour finalement mourir au début de la cinquantaine d'une montée de pression, avec tous les progrès de la science! Dire qu'elle a même pas eu le temps de s'rendre à l'hôpital et qu'elle a fini sa vie dans une ambulance. Y a pas personne qui connaît l'heure de sa mort! C'est probablement mieux de même. Même madame Lambert est retournée par en bas, j'aurais bien aimé ça moi aussi. C'est un autre rêve qui s'réalisera pas. De toute façon, vous êtes tous installés dans le coin. Peux-tu bien me dire c'que j'irais faire par en bas? Tu sais, à trop s'accrocher à des rêves, on finit par en perdre l'essence même!

De plus en plus souvent, ma mère me disait:

— Coudonc! On voit de moins en moins ton mari. En tout cas, tu peux t'estimer chanceuse d'avoir un homme qui vous fait vivre convenablement. J'sais pas si tu l'sais, mais c'est pas tous les maris qui permettraient à leur femme d'aller à l'école du soir. Quand j'pense que t'es rendue à l'université !

Elle me désarmait. Était-elle trop centrée sur son propre problème pour ne pas voir le mien ? Je n'en sais rien ! Une chose est certaine, j'avais l'impression qu'elle m'obligeait à lui mentir, mais ce qui est incontestablement pire, c'est que je m'offrais aussi cette médecine. Il me semblait que la vérité n'aurait été qu'un boomerang.

L'automne 1970 et l'hiver 1971 furent à ma connaissance les plus difficiles saisons de sa vie : celles qui la mirent face à face avec l'heure du non-retour. L'instant où on se demande pourquoi on est là, à ce point précis qui ne mène nulle part. La boucle se noue ou se défait, cela n'a plus d'importance parce que le but a perdu en cours de route sa nature. Tout se confond, faisant jaillir des entrailles qu'on croyait pour toujours endormies un goût amer.

Parallèlement à sa vie, je vivais jusqu'à un certain point tout ça, mais moi, j'égrenais la fin de ma vingtaine. Je devais composer avec un mari trop absent, cinq enfants, un double travail à l'extérieur et des études universitaires. Il me fallait sans cesse courir après le temps, tandis que ma mère se mourait d'en avoir trop ! Elle s'ennuyait, elle s'inquiétait, c'était devenu son nouveau passe-temps : un jour, elle s'inquiétait du plus jeune de mes frères, le lendemain d'un autre de ses enfants, de ses petits-enfants ou de frère Gilbert. Elle donnait l'impression d'avoir besoin à tout prix de se trouver une raison pour s'accrocher au combat de sa vie. Il est difficile de savoir que ceux qui dépendent de nous ou de qui nous dépendons sont malheureux !

Quelques jours avant Noël, elle reçut enfin des nouvelles en provenance de l'Inde :

J'ai reçu tes lettres, et j'ai pensé que tu t'inquiéterais inutilement. Il y avait tellement à faire…

C'est bien un homme ! s'exclama-t-elle avec une certaine rage.

Ici, le sens et la valeur de la vie ne sont pas les mêmes qu'au Canada. Chaque habitant de ce pays de montagnes est conscient de sa vulnérabilité contre les éléments de la nature.

Mais aucun n'a de regret d'avoir vu le jour dans ce pays. Leur foi est désarmante, et notre croix minime en comparaison de la leur, ne l'oublie jamais.

Continue à prier. Ton mari n'est pas méchant, il est seulement inconséquent. Tes prières porteront un jour des fruits, et elles m'aideront à mener à bon terme ma mission.

Sur ces mots, je te quitte.

Joyeux Noël. Bonne, heureuse et sainte année à tous.

Ton frère

Frère Gilbert Boucher C. S. C.

Cette lettre la fit osciller entre la rage d'avoir été laissée longtemps dans l'attente d'un simple bout de phrase et le bonheur de le savoir vivant. Et de nouveau, pour un bref temps, la vie sembla monter en elle. Il lui suffisait cependant d'une bien petite bourrasque de vent pour qu'elle passe des rires aux pleurs.

Dans une partie non négligeable d'elle-même, son jeune frère demeurait son protégé et, en quelque sorte, le pont avec son passé. Il faut dire qu'aussi paradoxal que cela puisse sembler, c'était le membre de sa famille qui donnait le plus souvent de ses nouvelles. Ses visites avaient un quelque chose de magique : il venait nous sortir de la monotonie. Avec lui et par lui, nous avions des oncles, des tantes, des cousins et des cousines maternels. Ses retours dans le temps nous prouvaient hors de tout doute que nous avions bel et bien des racines montréalaises.

Son grand voyageur de frère avait su garder contact avec la famille au grand complet et avec ses amis d'enfance. Il représentait pour nous la preuve incontestable que notre mère avait déjà été jeune : lorsque quarante ans séparent parents et enfants, ce n'est pas toujours facile à imaginer.

Irrévocablement, ma mère s'écroulait sous le poids de sa solitude, tandis que mon octogénaire de père se la coulait douce avec ses semblables. Assis à une table crasseuse d'un bar minable, il ne faisait rien de mal ! Il ne faisait que passer le temps.

Laurette avait fait siens la soumission, le pardon, la charité, l'amour du prochain et, au bout du compte, il semblait ne plus rien lui rester. Rien que le vide d'une fautive espérance qui n'avait pas mené à bon port son pauvre capitaine. Par ses gestes et paroles, elle avait fait de nous, ses enfants, des hommes et des femmes capables de se redresser la tête après l'orage. Mais elle traînait toujours au fond d'elle la responsabilité de ce qu'elle nommait un fiasco monumental ! Je connais maintenant ce dilemme destructeur qui, au milieu de la nuit, dans l'absence totale de toute étreinte, glace jusqu'à la mœlle des os, comme pour témoigner que, quelque part, on porte un certain échec.

Je savais que ma mère s'ennuyait, et comme j'étais celle qui vivait le plus près de la résidence familiale, je me faisais un devoir de lui rendre visite aussi souvent que possible, mais je ne pouvais être à deux places en même temps ! C'était toujours agréable d'aller lui rendre visite, car elle avait un sens de l'accueil extraordinaire. Les images que cette affirmation fait naître en moi ne peuvent pas se traduire en quelques phrases. Comme dans une espèce de rituel, elle venait toujours nous accueillir en s'essuyant les mains sur son grand tablier à bavette, et avait pour chacun des siens une étreinte bien particulière.

Le temps avait donné à cette chaleureuse grand-mère la sagesse de ne plus se formaliser des dires et des convenances des autres. Il lui arrivait même de se bercer avec deux ou trois enfants sur les genoux en même temps : c'était le temps des grosses familles. Ma mère a su faire jaillir autour d'elle le miracle de l'amour, celui qui fait en sorte qu'on puisse aimer parce qu'on l'a été. C'est l'incontestable schéma.

— J'pense que j'vais aller voir le docteur cette semaine. J'me sens toujours fatiguée, pis j'ai de plus en plus souvent mal à tête, me dit-elle.

Ma mère accordait au monde médical son importance, mais elle n'avait jamais oublié que les disciples d'Esculapes pouvaient eux aussi faire des erreurs. En effet, un médecin lui avait un jour gelé une dent et lui en avait arraché une autre !

— C'est ma fameuse bosse qui fait des siennes !

Ma mère avait une bosse sur la tête. En fait, c'était un creux dans lequel elle glissait souvent de la vaseline, et même parfois de l'huile à salade. Après quelques minutes, elle en extirpait des petits morceaux de corne qu'elle grattait avec tout ce qui lui tombait sous la main, et disait en ressentir un certain soulagement.

La normalité n'étant rien d'autre que le quotidien, cet exercice de grattage nous a toujours semblé normal. Au plus loin de mes souvenirs, elle avait cette étrange excavation d'au moins cinq centimètres qu'elle camouflait sous son chignon sel et poivre.

La solitude, la rénovation sur le tard de sa vie et le temps qui, finalement, s'était joué d'elle semblaient avoir eu raison de ses énergies et de son moral.

— Ma grande, j'ai une bonne nouvelle, m'annonça-t-elle en me rendant visite après la grand-messe, deux douzaines d'œufs dans les mains. Un petit cadeau bien frais. Imagine-toi que les poules se sont r'mises à pondre comme des bonnes avec l'arrivée du printemps. J'ai pensé que tu pourrais vite les passer avec les enfants. J'te dis qu'à deux, on n'en mange pas beaucoup, d'autant plus que ton père est jamais là ! Et j'ai l'honneur de t'annoncer, ma fille, que mes travaux vont se terminer cette semaine ! En fait, y me reste juste à bronzer les tuyaux du poêle ! J'en ai assez fait. Si je veux en profiter un peu, y va bien falloir que j'arrête d'être dans le barda. L'été s'en vient, je vais pouvoir te faire un peu de couture pour les enfants, et on va avoir le temps d'aller aux fraises pis aux framboises. Tu m'as bien dit que t'avais pas de cours cet été ?

— Non, j'ai déjà fait ceux qui sont à l'horaire, mais on doit aller camper quinze jours dans les Cantons-de-l'Est, à la mi-juillet.

— J't'avoue que chus bien fière d'avoir une fille à l'université ! C'est pas pour dire, mais dans le rang, à l'heure actuelle, t'es la seule ! Une chance que ton mari t'laisse cette liberté.

Elle semblait croire que lorsque je passais la porte, il prenait la relève auprès des enfants !

— Ton mari est pas là ?

— Il fait l'entretien des machines au cinéma, lui dis-je, avec sérénité, laissant croire qu'il travaillait.

Même si pour ma mère, il ne restait pratiquement plus que les tuyaux à bronzer, elle trouva plusieurs petites retouches à faire, et elle n'entreprit ce travail que le jeudi matin.

Elle venait à peine de commencer lorsque l'un de mes demi-frères téléphona pour les inviter à aller faire leur épicerie avec lui en ville.

— Vite, Laurette, on part dans vingt minutes !

— C'est pas demain qu'on devait y aller ?

— Oui, mais y a changé d'idée. Grouille !

— J'ai le temps de finir en me dépêchant ! Rappelle-le pour lui demander quinze minutes de plus. Pour lui, ça changera peut-être rien. J'ai pas envie de m'remettre les mains là-dedans demain !

— Y en est pas question !

Dans sa course effrénée pour parvenir à finir son travail tout en servant mon père, qui ne savait toujours pas après trente ans de vie commune où se trouvait ses chaussettes, ma mère fit monter sa pression artérielle.

— Vite, Laurette ! Y rentre dans la cour. Tu vas encore le faire attendre !

— Sors ! J'te suis.

Assise seule sur la banquette arrière, elle ferma les yeux, comme elle le faisait lorsqu'elle voulait se calmer et se sortir d'une inutile et accaparante tourmente.

— Tu parles, la mère s'est endormie !

Arrivée devant le magasin où elle avait l'habitude d'aller, elle semblait toujours dormir.

— Laurette, viarge ! Réveille-toé ! Coudonc, t'es-tu devenue folle ?

C'était le vocabulaire normal de mon père : sa manière de lui parler…

— Veux-tu ben me dire où qu'on est rendus ? demanda-t-elle en ouvrant les yeux. Mon Dieu que j'ai mal à tête !

— Débarque ! C'est pas le temps de faire des niaiseries.

— Vous seriez peut-être mieux de rester avec elle, le père. A franchement pas l'air en forme.

— Pas question ! J'ai à faire ailleurs, pis j'veux pas t'faire attendre.

Comme elle avait une excellente mémoire, elle ne dressait pratiquement jamais de listes de commissions. Mais rendue sur place, elle ne se souvenait plus de ce dont elle avait besoin. Elle fit donc avec difficulté, à quelques reprises, le tour du magasin, prenant des choses courantes, et alla finalement s'asseoir sur le large rebord de la vitrine en attendant qu'on vienne la chercher. Réalisant qu'elle ne semblait pas bien, le gérant alla lui chercher une chaise dans le bureau.

— Tenez, madame Martin, vous allez être mieux, assise sur cette chaise.

— Merci, vous êtes bien gentil.

On vint finalement la chercher, à son grand soulagement, une vingtaine de minutes plus tard.

— T'as pas l'air d'avoir acheté grand-chose! As-tu acheté un rôti de lard, pis de quoi faire des beans? As-tu pensé au miel?

— J'pense bien. Tu peux r'garder dans le sac. J'me souviens pas. J'ai un mal de tête épouvantable!

— C'est pas à tête, c'est dans tête que t'as mal! T'es folle! C'est pas difficile à comprendre! Tu sais même pas c'que tu viens d'acheter, dit-il avec son ironie habituelle.

Il continua à maugréer contre elle durant la majeure partie du trajet. De retour à la maison, elle rangea les menus articles qu'elle avait achetés.

— J'vais aller me coucher, ça va peut-être me faire du bien. Tu mangeras le reste de rôti de lard. Moi, j'ai pas faim!

En entrant dans sa chambre, elle referma la porte. Comme ma mère ne se couchait pratiquement jamais durant le jour, mon père s'en inquiéta suffisamment pour téléphoner chez moi. Au retour de ma surveillance d'élèves, j'ai trouvé un message de mon mari, me disant que ma mère n'allait pas bien. Il m'avait aussi laissé l'auto.

En arrivant chez mes parents, quelques minutes plus tard, sa porte de chambre fermée me glaça.

— Qu'est-ce qui se passe?

— C'est rien! A pardue la carte d'un coup sec. Elle avait l'air ben normal à matin. Y fallait ben s'attendre à c'que ça arrive un bon jour, sa sœur me l'avait dit. J'sais pas encore c'que je vais faire, chus pas certain d'être capable d'endurer ça, une femme pardue. Comme c'est là, est couchée. Y faut que j'aille en ville.

Je pense que c'était la première fois que mon père me parlait, et son discours me dépassait, d'autant plus qu'il me semblait bien à jeun. En frappant délicatement à sa porte, je me demandais bien ce que cette dernière pouvait cacher. Allait-elle seulement me reconnaître? Puis, sans attendre de réponse, j'ouvris la porte. Elle était étendue par-dessus les couvertures, souliers aux pieds.

— Vous dormiez?

— Non, me dit-elle en me souriant.

— Vous avez pas l'air en grande forme?

Elle haussa un peu les épaules, et ses yeux se remplirent de larmes.

— C'est moins pire, Mais tout à l'heure, j'pensais que la tête allait me fendre! J'ai même pensé être après mourir!

— Ça va un peu mieux?

Elle me fit un léger signe affirmatif.

— Je suis certaine que vous n'avez rien mangé depuis ce matin!

Elle me regarda avec un petit sourire, qui voulait dire qu'elle aurait bien pu se soucier de cet anodin détail.

— Peux-tu me dire quelle heure y peut bien être?

— Presque 14h. J'vais vous faire chauffer une bonne soupe au poulet, vous devez avoir ça dans vos armoires.

— Probablement, mais j'ai pas vraiment faim.

— Y faut tout de même manger, pis on dit que l'appétit vient en mangeant...

Après avoir rafraîchi sa débarbouillette mouillée qu'elle s'était mise sur le front, je téléphonai à l'urgence, et l'infirmier me demanda de la conduire sans trop tarder. Mais avant de partir, je lui fis manger un peu de soupe. En route vers l'hôpital, je remarquai qu'elle avait une légère paralysie faciale, mais elle ne semblait pas le réaliser. Je ne dis rien pour ne pas l'inquiéter, mais je fis discrètement savoir au médecin que c'était quelque chose de nouveau.

Le verdict tomba rapidement: accident cérébrovasculaire. Et le pire pouvait survenir d'une minute à l'autre.

— Ma grande foi du Seigneur, docteur! J'suis en train de paralyser! C'est tout juste si j'peux me bouger les bras! Surtout celui-là, dit-elle en indiquant le gauche.

— Je vois bien ça. C'est pas bien grave, ça va revenir. Je vois un petit quelque chose aussi au niveau du visage. N'essayez pas de bouger, on va vous conduire à votre chambre en civière. J'vais demander aux infirmières de vous installer un soluté avec un petit calmant pour vous aider à vous reposer.

— J'ai même pas amené ma jaquette!

— C'est pas grave. Vous allez voir, on va bien s'arranger.

— Vous voulez quand même pas m'faire dormir en plein cœur de jour?

— Non, pas vraiment, mais ça va probablement vous faire dormir un peu. Faites-nous confiance. Vous avez besoin de repos!

— J'peux pas être fatiguée, j'fais rien!

— C'est rarement le travail qui nous fatigue le plus!

Contrairement à sa première hospitalisation survenue deux ans auparavant, alors qu'elle s'était blessée à un genou en voulant empêcher un cheval au galop de prendre le chemin, elle n'émit cette fois aucune résistance.

— Tu vas t'occuper de ton père? me demanda-t-elle. J'aimerais que tu dises aux autres de faire leur part, y'é comme un enfant. J'sais que t'as une lourde besogne, mais faut bien que quelqu'un s'en occupe. C'est votre père!

— Au fait, poursuit-elle calmement après un certain temps de silence, si jamais on reçoit des nouvelles de frère Gilbert, oublie pas de m'le dire. Dans ces pays-là, quand c'est pas un élément naturel qui se déchaîne, c'est la guerre. J'me demande si on leur fait pas plus de mal que de bien en voulant soi-disant les aider. C'est vrai, on se met le nez dans leurs affaires sans se soucier de leurs mœurs, comme si on était des modèles de perfection.

Elle ferma les yeux et s'arrêta de parler. J'eus alors l'impression qu'elle venait de s'endormir, mais après quelques secondes, elle continua.

— Ton grand-père Boucher disait qu'on devait commencer par faire rôtir ses oignons avant d'aller faire rôtir ceux des autres. J'me demande bien c'que je suis venue faire en Abitibi! Tout aurait été tellement plus simple par en bas. Au lieu de faire deux heures d'auto pour aller à l'université, t'aurais pu y aller en cinq ou dix minutes.

— Chut, maman, parlez pas! Vous devez vous reposer. Essayez de dormir un peu, ça va vous faire du bien. Je reste avec vous encore une secousse, pis j'vais revenir après souper. Inquiétez-vous pas de papa, on va s'en occuper. Essayez de dormir un peu.

— T'as bien raison. Le monde a tourné bien avant moi, pis y va continuer après...

— Voyons, maman, pourquoi dites-vous ça ?

— Ton père a toujours dit que c'était lui qui buvait, pis que c'était moé qui étais saoule ! Ça doit être vrai !

En disant ces mots, elle éclata en pleurs.

— Pleurez pas, ça va juste vous épuiser davantage. Vous devez essayer de dormir. Vous le savez autant que moi que papa a jamais fait autre chose que de déblatérer des niaiseries. Faut pas s'y arrêter.

Après un court moment de silence, elle recommença :

— Quand je r'garde les grands fouets de saules surgir un peu partout dans le champ, j'réalise que j'ai travaillé toute ma vie pour pas grand-chose ! Dire que les gens ont trimé durant des années pour finir d'arracher les souches pis de ramasser les roches que le gel faisait remonter année après année. D'ici peu, la forêt va r'prendre ses droits…

Elle fit une pause et ajouta :

— J'aurais voulu être là pour voir grandir mes petits-enfants. J'ai confiance en toi. Tu vas réussir, et les autres aussi.

— Chut, maman, taisez-vous ! Gardez vos énergies.

— Comment ? Vous jasez encore, madame Martin ! dit une infirmière venue reprendre sa pression artérielle. Vous devriez la laisser seule, faudrait qu'elle dorme un peu : son soluté coule probablement pas suffisamment.

J'ai quitté le centre hospitalier à 17 h, pendant qu'elle dormait. J'ai compris par la suite qu'elle savait qu'à l'instant où elle s'abandonnerait, rien ne serait plus véritablement pareil. Irrévocablement, la page, ou tout au moins une partie, se tournerait pour toujours.

À mon retour, deux heures plus tard, elle somnolait sous l'effet d'une plus forte dose de calmants. On pouvait cependant voir, de temps à autre, quelques larmes apparaître au coin de ses yeux, nous prouvant qu'un combat intérieur d'importance se livrait. Le médecin en service nous informa de son peu de chance de s'en remettre :

— Son cœur est mal en point, pis est loin d'être à l'abri d'une deuxième hémorragie. Consolez-vous en vous disant que ça va s'faire en douceur. A va s'endormir, pis a s'réveillera pas ! Vous devez vous préparer à cette éventualité. Et si elle survit, c'qui est peu probable, attendez-vous à de sérieuses séquelles !

Mais Laurette prouva que ce n'était pas à soixante-neuf ans qu'elle était prête à clore le livre de sa vie. Mon père, qui détestait le milieu médical, se décida, après une certaine pression de l'un de mes frères, à lui rendre visite. En le voyant entrer, elle se mit à pleurer. Il s'avança vers elle maladroitement, car mon père avait peine à marcher, surtout lorsqu'il était à jeun. Quelque peu enlacés, ils sanglotèrent sous nos yeux, aussi gênés que surpris. Il me semblait difficile de croire, du haut de mes trente ans, qu'un certain amour pouvait exister entre mes parents.

— Tiens, dit-il, j't'ai amené un peu de bonbons avec du chocolat.

J'aurais voulu pouvoir m'approcher du lit et mettre ma main sur son épaule afin de le consoler, probablement pour faire surtout plaisir à ma mère, mais j'en fus incapable ! Je n'étais pas encore prête à faire un quelconque mouvement vers lui. Trois semaines plus tard, elle recevait son congé. Elle parvenait à peine à se lever les bras à la hauteur du menton.

— Le docteur dit que ça va revenir, mais y paraît que ça peut prendre jusqu'à trois mois. J'étais quand même pas pour passer l'été à l'hôpital sous prétexte d'être au ralenti. J'me voyais pas laisser votre père manger des toasts pis des cretons du village, tandis que moi, j'avais toujours des beaux plats de légumes pis de fruits.

Je la sentais débordante de détermination, et je me disais que c'était peut-être suffisant pour qu'elle puisse remonter la pente, et reprendre les cordeaux, comme elle disait quelquefois. Je l'espérais et, jusqu'à un certain point, je vivais un genre de refus de la réalité : c'était en fait la première fois que je voyais ma mère s'écrouler. Je ne m'étais jamais arrêtée, avant cette hospitalisation, à la possibilité de devoir un jour envisager sa mort. De plus, dans ma logique irrationnelle sur le sujet, j'avais comme une espèce de certitude que mon père allait mourir avant elle ! On s'imagine trop souvent que la mort, l'âge et, disons-le franchement, le degré d'amour envers l'un plus que l'autre vont jouer dans la décision du destin…

Comme convenu depuis plusieurs mois, nous sommes partis en camping vers la mi-juillet. Un voyage sans itinéraire précis, sauf que nous espérions camper dans les Cantons-de-l'Est. La mort subite de ma mère, selon mon mari, n'était qu'une probabilité normale dans le cycle courant de la vie. Il n'y avait donc pas matière à modifier le plan de nos vacances, mais lorsqu'il s'agit de notre mère, le côté philosophique de l'existentialisme ne s'avale pas avec une simple gorgée d'eau. J'avoue, avec le recul, avoir subi ce voyage. Il est parfois difficile de comprendre la rigidité du système, lorsqu'on ne travaille pas à l'extérieur en permanence, et tout ce que peut représenter une date bien précise.

Je fus cependant dans l'obligation de m'avouer, à mon retour, que je n'étais pas aussi indispensable que je voulais bien le croire. Il suffit parfois d'abandonner une mission pour que quelqu'un d'autre trouve l'énergie de la mener tout aussi bien à terme.

L'automne venu, je repris le chemin de l'université. Il ne me vint même pas à l'idée de mettre en veilleuse mes études, ma mère en aurait été trop attristée. De plus, en ce début d'année universitaire, les cours étaient souvent contingentés. Autrement dit, il fallait les prendre lorsqu'ils passaient.

Mon père fut hospitalisé quelques jours à la fin d'octobre pour un problème au niveau des reins, et toute la famille se hâta avec bonheur de faire une place à maman dans la maison. C'était merveilleux de l'avoir avec nous, même si elle ne pouvait plus gâter physiquement les enfants. En cette heure où la passivité se faisait maîtresse de sa vie, sa seule présence représentait le plus beau des cadeaux !

L'hiver fut rempli de haut et de bas, d'essais et d'échecs, de rires et de larmes, de joies et de déceptions. L'incapacité de ma mère n'avait en rien changé mon père : il était toujours fidèle au cours normal de sa vie. Il avait bien essayé à quelques reprises de faire des efforts pour s'améliorer, mais le naturel avait vite refait surface. Il avait besoin de bruits et de gens autour de lui, alors que ma mère incapable, d'accomplir la majorité de ses travaux habituels, se mourait d'ennui. Elle priait et continuait à espérer qu'il change sa façon de vivre. Je savais cet espoir vain, tout en faisant cependant exactement la même chose, persuadée que mon histoire n'avait rien en commun avec la sienne. Combien étrange est cette impression que notre cas est toujours différent de celui des autres ! On oublie facilement que l'absurdité a bien des visages, et qu'elle entre presque toujours dans nos vies une seconde à la fois, sans nécessairement faire de bruit. Puis, un bon matin, on se sent dépassé.

Parfois, ma mère se mettait à pleurer comme une enfant. Je m'assoyais alors près d'elle et, d'un mouvement de va-et-vient, je la berçais doucement, persuadée que jamais je n'atteindrais un tel bas-fond.

— Si tu savais comme c'est difficile de vouloir et de ne pas pouvoir, me répétait-elle de plus en plus.

Ce n'était pas uniquement du présent qu'elle parlait. Je le savais aussi, mais il me semblait que je me devais de feindre le passé et de ne pas penser au lendemain. L'incapacité de pouvoir changer les choses qui altèrent notre vie nous mène à certaines heures à une désillusion presque morbide. Le reflet d'un échec prend alors d'énormes proportions au quotidien, hypothéquant parfois un possible avenir.

— J'arrive plus à trouver mes mots, ou bien ça sort tout de travers, s'écria-t-elle de rage un jour. Votre père doit avoir raison. À force de se faire dire qu'on est fou, on doit finir par le devenir pour de vrai !

C'est vrai qu'il nous arrive de finir par croire en l'image que les autres nous jettent à la face par des mots ou des gestes. Je la consolais, mais je refusais de croire que cette réalité s'appliquait aussi à moi. L'âge et une usure anormale de la vie avaient amené Laurette à trébucher sur ses mots de plus en plus souvent. Je me rappelle l'ironie de mon père lorsque épuisée, elle cherchait un papier important ou son porte-monnaie. Car elle devait sans cesse se trouver de nouvelles cachettes pour faire face aux obligations de la vie et à l'irresponsabilité de mon père. « C'est moi qui bois, pis c'est toi qui es saoule ! lui disait-il. Comprends-tu ça Laurette ? »

Il m'a fallu beaucoup de temps pour comprendre cette phrase que je croyais idiote et dépourvue de tout sens. Au fait, il a fallu que le temps m'arrête, qu'il me coupe de mes énergies, qu'il m'ampute de tout espoir au sens cartésien…

— Si j'étais plus jeune, disait maman.

Comme si l'âge avait été capable de changer le cours de son histoire !

— J'ai toujours pensé que Dieu ne me laisserait pas vieillir dans un tel univers de solitude. J'me trompais ! Mais c'est vrai que votre père peut encore changer !

Elle le croyait sincèrement. Elle avait tellement besoin de le croire. Autrement, comment aurait-elle pu donner un peu de sens à ce qui lui restait de vie ? Je n'en sais rien !

Prématurément vieilli, Roland revint au pays à la fin de l'automne 1971. Sachant que Laurette essayait tant bien que mal de se remettre en selle, il vint la saluer. Mais il ne fit aucune autre visite. Et il retourna travailler à l'imprimerie du collège à titre d'aide responsable de la revue *Mon mariage*.

— On se revoit l'été prochain !

— C'est ça, rajouta Laurette.

Épuisée et déconcertée par la vie, Laurette fit très probablement le seul au revoir en pleurs de sa vie.

Chapitre X

C'était au mois de mai…

L'hiver avait enfin abandonné ses droits. De partout, la vie rejaillissait: les brindilles se faufilaient à travers les débris de paille sèche et les peupliers, ceinturant à leur façon notre loyer, déployaient gracieusement leurs verdoyantes et timides feuilles.

Je suis en vacances universitaires depuis une quinzaine de jours. Et j'ai le goût de me donner du temps: permettre au soleil de me caresser avec ses chauds rayons et lire pour le plaisir sans avoir besoin de tout analyser.

Mon bébé termine sa première année scolaire et, dans l'ensemble, tout va bien: pas de pleurs, pas de cris, pas de travaux à remettre. Il me semble que je mérite quelques jours de gâterie avant la fin de l'année scolaire de mes enfants et que j'ai le droit de redevenir celle qui demeure le plus près de sa mère. Je m'octroie ce droit! Après de grandes périodes d'efforts soutenus, j'ai toujours beaucoup de difficultés à changer mon rythme: je tiens tout à bout de bras ou j'abandonne tout!

J'ai peine à m'endormir en ce milieu du mois de mai. C'est un peu étrange, car je dors généralement assez bien. Je me sens mal dans la peau de mes trente ans! Mon bonheur devra-t-il toujours passer par quelqu'un d'autre? Ce mal venu de mon enfance, tel un poison injecté à petites doses, me semble encore impossible à extirper de mes entrailles.

J'aurais aimé que mon mari souligne ma fin de session par un geste ou une parole aimable. Je ressemble à ma mère, même dans mes attentes de miracles! Mon mari me semble incapable de dire ou de réaliser les choses spontanément dans la simplicité. Il fête tout ce qui arrive autour de lui, y compris mes fins de session, mais j'en suis cependant exclue ! J'ai encore la nostalgie du temps où ma mère faisait éclat de tout ce qui nous arrivait. Il est difficile de voir mal vieillir ceux qu'on aime et d'assister de façon impuissante à la détérioration de la cellule maîtresse, qui est voulue, quelque part dans une partie de soi, éternelle, tout comme nous.

Je ne peux m'empêcher de laisser couler quelques larmes en attendant le sommeil, car trop de choses de ma vie m'échappent : mon obligation d'obtenir un diplôme, ma surveillance à des heures absurdes alors que j'ai cinq enfants et mon mari, qui a toujours une bonne raison pour ne pas être à la maison et qui semble incapable de débordement de tendresse ou de protection à notre égard. Voilà maintenant que je me surprends à avoir des impatiences envers ma propre mère pour de simples papiers-mouchoirs jetés au vent :

— Voyons, maman, on dit aux enfants de pas faire ça !

— Je m'excuse, j'sais plus où j'ai la tête. J'me demande si ce n'est pas toute cette ribambelle de pilules qui me rendent malade ! J'en ai pour presque 60 $ dans ma sacoche. Quand j'pense à c'que j'aurais pu faire avec ce bel argent qui me glisse entre les mains !

Elle tempêtait en pleurant contre la pharmacie qui remplissait sa bourse, alors que nous revenions de chez son médecin. Ce n'était pas encore l'époque où les médicaments étaient subventionnés.

Au même moment, une ambulance s'approcha à quelques mètres derrière mon auto. Je me hâtai de lui céder le passage, d'autant plus que c'était dans une montée et que je ne l'avais pas vue venir. Pendant une fraction de seconde, je sentis un frisson me passer dans le dos. Ma mère m'avait tout à coup été un fardeau, et je me sentais honteuse.

Le soir venu, j'aurais voulu pouvoir me glisser dans les bras de mon mari. Lui parler de moi, de nous, de ma réaction avec ma mère, et de l'indescriptible lourdeur que je ressentais devant l'incommunicabilité, devenue maîtresse de nos vies.

En prenant mon temps avant de la remettre dans le tourbillon de ma vie, j'essayais de ne pas me donner mauvaise conscience. Je me disais qu'elle allait beaucoup mieux, et que le temps l'avait assagie. Elle connaissait mieux ses limites et elle tentait moins de les repousser, c'était rassurant. Je savais aussi qu'elle planait de bonheur à l'idée d'aller avec mon frère aîné et sa famille à Hanmer, en Ontario, pour l'anniversaire de son bébé, ma petite sœur Clarice. À la sortie de la messe dominicale, j'achetai deux petites fleurs de soie pour la fête des Mères et, dans l'après-midi, je lui en épinglai une sur sa robe. C'était le seul cadeau que j'avais les moyens de lui offrir : une minuscule fleur de soie, et une bonne tarte au sucre. Ensuite, je changeai les draps de son lit, comme je le faisais chaque semaine depuis un an, mais cette fois, je puisai dans sa réserve… au lieu d'utiliser ses draps habituels.

— Non ! Non ! Prends pas ceux-là ! s'écria-t-elle. C'est pour la visite !

— C'est moi qui décide. Je suis navrée, mais vous avez pas un mot à dire sur mes choix. C'est votre fête !

J'avais choisi un drap fleuri que je trouvais tout particulièrement joli, sans être cependant digne des grands textiles. Comprenant que le dernier mot viendrait de moi, à la fois impuissante et amusée, elle alla de l'autre côté du lit pour m'aider à placer les draps. Elle riait de bon cœur et, à travers ses rires, surgissaient à son insu quelques larmes. Même les rayons du soleil qui s'infiltraient dans sa petite chambre, en ce dimanche 14 mai 1972, semblaient de connivence avec moi. Je lui offrais gratuitement un petit bonheur digne d'être immortalisé…

— Ça a pas d'allure ! Je vais me prendre pour une vraie reine.

Ce n'était pas la première fois que j'essayais de lui faire employer son linge de visite, comme elle disait, mais c'était la première fois que j'y parvenais. Je pense sincèrement ne m'être jamais sentie aussi près d'elle. C'était comme un genre de fusion : nous étions deux véritables femmes, l'une en face de l'autre, et aucune ne dominait l'autre ou ne tentait de le faire. Le temps m'avait amenée à comprendre qu'il ne suffit pas uniquement de vouloir pour pouvoir. La vie est souvent un match impartial où la chance détient une partie du pouvoir :

Faites vos jeux !
Désolé !
Le noir gagne, le rouge perd.

Trois jours plus tard, alors qu'il me restait une quinzaine de minutes de surveillance à faire, un professeur vint me dire de me rendre tout de suite chez moi. Il allait prendre la relève. Mon fils aîné venait d'être légèrement heurté par une voiture alors qu'il se promenait à bicyclette en attendant l'heure permise pour se joindre aux dîneurs. À mon arrivée, il était assis sur le perron : la chance avait été au rendez-vous !

Je l'assis sur le comptoir de la cuisine, les pieds dans l'évier, afin de ne pas avoir à trop toucher ses plaies, même si elles étaient superficielles. Après l'avoir consolé, lavé et pansé, je l'installai confortablement dans le salon avec des revues et, bien entendu, devant la télévision. Il s'endormit. L'entretien de la maison terminé, je décidai d'aller me faire bronzer. Je venais à peine de m'allonger sur le toit d'une rallonge attenante à la salle de bains lorsqu'il vint me demander d'aller voir sa grand-mère.

— Pas maintenant, on ira après souper ! J'ai pas envie de sortir cet après-midi. D'ailleurs, ton père est parti avec l'auto.

— Téléphone-lui, tu lui diras que j'me suis fait mal, pis que j'veux aller voir grand-maman.

— Non ! Après souper, y va faire moins chaud. Les autres aussi veulent venir. J'vais commencer à racler la cour, y va aussi falloir penser à faire le jardin.

— Grand-maman veut pas que t'en fasses cette année !

— J'le sais, mais j'suis certaine qu'elle espère le contraire ! C'est important pour elle, même si on le fait petit. Si grand-papa est là, vous allez peut-être pouvoir commencer à semer les patates avec lui. Si tu te sens bien, tu peux aller jouer dehors !

— C'est ça, pour me faire punir ensuite par mon professeur. Monsieur Ruelle, y voit tout !

— Tu lui montreras tes coudes pis tes genoux, y va comprendre. J'suis certaine qu'avec une pareille chaleur, grand-maman doit se reposer à la fraîche. Tu pourrais regarder la télévision.

— J'ai pas envie de r'garder un film ennuyant.

— Fais de la lecture !

Ses frères et sa sœur revinrent de l'école vers 15 h. Après la collation, ils sortirent jouer dans la cour arrière, et je retournai sur le toit afin de profiter encore un peu des chauds rayons du soleil. Je venais à peine de m'allonger lorsque la sonnerie du téléphone se fit entendre. J'en conclus que l'appel devait être pour l'un des enfants, et je ne fis pas d'acrobatie inutile pour aller répondre. Une dizaine de minutes plus tard, le téléphone sonna de nouveau, et je ne bougeai pas. Puis, peu de temps après, devant l'insistance de la sonnerie, je décidai d'aller répondre. Il s'agissait d'un voisin de mes parents.

— Catherine, c'est Dollard, viens vite ! Ta mère a eu un accident. Elle est brûlée, l'ambulance s'en vient.

— J'arrive !

Je téléphonai à mon mari pour lui dire de venir, et j'avertis les aînés de bien s'occuper de leurs petits frères. Je leur dis que j'allais voir leur grand-mère parce qu'elle avait eu un accident. Je demandai aussi aux propriétaires de la maison, qui demeuraient au premier palier, de bien vouloir veiller sur mes enfants. À notre arrivée, l'ambulance quittait la cour. L'herbe était brûlée sur peut-être cinquante mètres de circonférence, et les pompiers travaillaient toujours à éteindre le poulailler. Il devait y avoir une vingtaine de voitures en bordure du chemin et une bonne douzaine dans l'entrée et sur la pelouse devant la maison. Le gyrophare du camion de pompiers tournait, laissant par le fait même une impression macabre. Mon père était assis sur le large rebord des fondations de la maison, tout près de son tracteur, avec quelques personnes. Il venait tout juste d'arriver. Alors que je faisais quelques pas dans sa direction, Dollard m'interpella, et je me retournai vers lui.

— Comment est-elle ?

— Aucune idée ! J'ai pas été capable d'aller la voir. Ça faisait une quinzaine de minutes que les pompiers travaillaient à éteindre le poulailler lorsqu'un passant a signalé la présence de ce qui semblait être un animal brûlé. On a vite constatés qu'il s'agissait de ta mère. C'est moi qui ai demandé l'ambulance, j'ai bien essayé de te téléphoner, mais ça répondait pas. Je trouvais ça étrange aussi que la porte soit pas barrée. Dans le fond, c'est probablement mieux de même. J'ai téléphoné pour qu'on aille avertir Jean-Pierre, y va te rejoindre à l'hôpital. Ton père vient d'arriver du village, je vais rester avec lui.

En me retournant, je reconnus le professeur de langue seconde de mon école. Il vint à ma rencontre.

— Peux-tu me dire comment elle va?

— J'peux juste te dire qu'est vivante. Descends vite à l'hôpital!

Lorsque je suis entrée dans le hall, on sortait une civière de la salle d'urgence pour la rouler dans l'ascenseur. Il devait y avoir un problème avec les portes arrière, ce sont généralement celles employées par l'hôpital. En reconnaissant le profil de ma mère, je courus vers elle, et je m'agrippai rapidement à la barre de protection de sa civière alors qu'on se préparait à la rouler dans l'ascenseur. Une infirmière s'empressa de tenter de m'éloigner en me retenant par les épaules, et mon mari s'éloigna en me disant de les laisser faire leur travail.

— Non! Laissez-la! dit un infirmier ou une infirmière près de la civière. Retenez la porte.

Il devait y avoir trois ou quatre personnes autour d'elle qui empruntaient l'ascenseur, et je me souviens de la pesanteur de leur silence: la dignité. Même si j'étais sans contenance, j'ai aimé qu'on ne banalise pas l'importance de cet arrêt à cette ultime croisée. Ce fut l'image la plus paralysante de ma vie. Ma mère respirait fortement d'un rythme saccadé, comme si elle avait eu terriblement froid. Sa langue semblait remplir toute la cavité buccale, et ses yeux donnaient l'impression d'être scellés: cils et sourcils n'existaient plus. La couverture qui l'enveloppait de la tête aux pieds laissait voir qu'elle n'avait pratiquement plus de cheveux. Je ne vis pas ses mains, mais le haut de sa poitrine était recouvert de grosses cloques d'eau.

— Maman! Maman! C'est moi! Je suis là! Ça va aller! Ne vous inquiétez pas! Je vais rester avec vous, on va bien s'occuper de vous. Je suis là, maman!

Sur ces mots, elle se leva un peu la tête en émettant un long gémissement, comme pour me dire «Je sais que tu es là». Je fus stupéfaite de la découvrir consciente, dans un tel état! Je serrai le barreau de sa civière de toutes mes forces, puis je le relâchai en faisant quelques pas à reculons. Les portes de l'ascenseur se refermèrent. Une religieuse vint vers moi:

— Venez, nous allons vous donner un calmant.

— Non merci!

Je m'éloignai d'elle, d'un geste signifiant que je ne voulais rien! Rien de possible, car les événements de la vie ne vont généralement qu'en sens unique. J'éclatai en sanglots, et mon regard se posa sur un grand crucifix. Pour un instant, j'aurais voulu pouvoir vociférer contre ce Dieu tout-puissant qu'elle m'avait appris à prier, mais j'en fus incapable. Je me demandais comment le maître de l'univers, infiniment bon, infiniment juste, infiniment parfait, permettait de telles monstruosités! Pour un instant, j'eus l'impression, de nouveau, que Dieu se prélassait sur un gros nuage blanc ouaté, se tapant sur la bedaine en riant aux éclats. Les visages des trente dernières années de la vie de ma mère se succédaient: visages de misère, visages de détresse, visages d'angoisse et de désillusion. Je vis soudainement à travers tout ça son admiration devant les fleurs, sa satisfaction devant les fruits sauvages juteux s'offrant à elle, sa joie devant les grandes flambées, son émerveillement devant les prouesses et premiers pas de ses petits-enfants, sa manière de les faire rire aux éclats en leur mordillant doigts et orteils. Le noir et le blanc se bousculaient dans ses propres éclats de rire, dans la multiplicité de bien réels petits bonheurs. Il me semblait ne pas avoir le droit de m'arrêter à ma propre souffrance.

Debout soldat! On a besoin de toi!

— Vous devez me permettre de vous aider! Je ne peux pas vous aider à porter votre douleur autrement. Vous devez me permettre de le faire, me dit une vieille religieuse.

J'ai finalement accepté. Mais au fond, je pense que ce n'était peut-être plus tellement nécessaire, car une peine partagée, même avec un étranger, perd un peu de sa puissance.

Je suis avec toi. Prends ton grabat et marche!

J'aurais voulu que mon mari me prenne dans ses bras, qu'il me serre de toute son énergie, contre lui. Espoir perdu, ce n'était pas dans ses mœurs. Nous avions beau être proches physiquement, je réalisais à quel point nous nous étions éloignés l'un de l'autre: l'alcool, le cinéma, les mensonges et le temps... Le temps qui éteint les flammes. Le temps qui nous amène à baisser les bras. Le temps qui nous fait oublier les merveilleux moments passés ensemble. Le temps qui amène au loin nos plus beaux moments. Le temps qui parfois ranime la braise dormante, mais pas nécessairement en même temps. Le temps qui oublie trop souvent de donner la sagesse du pardon.

— Fais attention, tout le monde te r'garde, me dit-il avec douceur.

Quelques minutes plus tard, je remarquai qu'il était précisément 17h à l'horloge. Je pleurais sans conviction, comme si la douleur s'était un peu éloignée de moi. Je téléphonai à mon frère Jean-Pierre pour lui faire savoir l'urgence de sa présence. À son arrivée, j'appuyai ma tête sur son épaule, et je pleurai calmement.

— Si j'avais fait mon devoir aujourd'hui, rien ne s'rait arrivé. Depuis un an, je n'y ai jamais été aussi peu souvent qu'au cours des deux dernières semaines.

— Catherine, tu sais autant que moi qu'on pouvait pas toujours être là ! Tu travailles quasiment à temps plein, pis moé j'fais des heures de fous, y fallait ben s'occuper de nos enfants dans tout ça ! Quand j'ai passé cet après-midi avec la niveleuse, elle avait son grand chapeau fait avec des papiers de pain, celui que ma tante Olympe lui a envoyé. Elle avait ramassé un peu d'herbe, pis elle avait mis le feu dedans. Tu sais comment maman a toujours aimé ça faire brûler des cochonneries. J'ai arrêté cinq minutes, le temps de l'éteindre. Après mon départ, je l'ai regretté.

Que de souvenirs de feux d'abatis qu'elle trouvait toujours les moyens de multiplier ! Il fallait nettoyer ses chicots, faire brûler les débris d'arbres abattus. Je revoyais son beau sourire à travers la valse des flammes, les yeux rivés sur la lueur qui tout doucement s'atténuait. Puis, la fameuse phrase : « On est toujours puni par où on a péché… »

— Tu sais autant que moi qu'on pouvait pas l'arrêter de vivre sous prétexte de la protéger. À mon retour, elle en avait refait un autre plus loin des bâtisses. Le vent me semblait pratiquement tombé, j'ai laissé faire. J'aurais pu arrêter encore une fois pour l'éteindre, mais elle semblait si heureuse avec son râteau dans les mains. Je l'ai saluée de la main, elle m'a répondu avec un grand sourire.

— Si tu savais comme est brûlée, ça peut pas se décrire. Elle qui disait souvent que notre père devait bien avoir un bon Dieu juste pour lui. Aujourd'hui, il lui en aurait fallu un, juste pour elle ! Je parlais et parlais sans rien dire, sans réfléchir.

Contrairement à ma mère, j'avais une confiance aveugle envers le milieu médical, et aucune connaissance sur les conséquences de telles brûlures. Naïvement, je croyais qu'elle pouvait survivre ! Peu de temps après l'arrivée de mon frère, une infirmière vint nous demander de monter à l'étage :

— Le médecin va vous rencontrer.

— Comment va-t-elle ?

Je n'eus qu'un haussement d'épaules et un petit sourire comme réponse, donnant à croire je n'en sais rien ! Elle nous conduisit dans un petit bureau au premier étage :

— Le médecin va être à vous dans deux minutes.

En entrant, il alla s'asseoir devant nous, et alors que je croyais qu'il allait nous annoncer des choses comme « Ça va être long », il dit tout simplement :

— Elle était complètement gelée ! Y avait rien à faire. On lui a tout de même donné de la morphine. Enfin, c'est fini, elle ne souffre plus.

— C'est-à-dire ?

— Elle est morte.

— Elle est morte !

Dans ma tête, cela sonnait comme un chien errant brûlé comme un cochon, ça n'avait aucun sens !

Elle a toujours été seule, elle a brûlé en se sachant seule, puis elle est finalement morte sans qu'aucun d'entre nous ne soit près d'elle. C'est impensable ! Elle était pourtant consciente à son arrivée ! Je pensais qu'avant de mourir, on entrait dans le coma ou quelque chose du genre. Je ne pensais pas qu'on souffrait jusqu'à la dernière minute, car c'est bien ce qui s'est produit avec elle, non ? Mon frère me serra la main, et il me fit un signe de la tête comme pour me dire que c'était inutile.

— Les ambulanciers ont dit qu'elle s'était plainte lorsqu'ils ont retiré les broches de clôture de son dos dans le champ. Selon eux, elle a repris connaissance à quelques reprises dans l'ambulance. Mais je vous jure qu'à son arrivée sur l'étage, elle avait abandonné toute résistance. J'en suis navré.

— On peut aller la voir ?

— Non ! Il ne saurait en être question. J'ai donné des ordres en ce sens. Rentrez chez vous. Dites-moi juste à quel numéro de téléphone la maison funéraire doit vous rejoindre.

J'avais l'impression de me retrouver au centre d'un film d'horreur ! En quittant l'étage, je dis à mon frère :

— J'veux pas que la tombe soit ouverte.

Il me fit simplement un signe affirmatif de la tête. Je ne réalisais pas le sens de ce discours : ce n'était pas une décision qu'on devait prendre, ce n'était qu'endosser la seule issue possible. À cette époque, l'exposition des corps était très importante, et le service funèbre se déroulait généralement la troisième journée suivant celle du décès. Il fallait maintenant aviser toute la famille.

— J'vais téléphoner à Clarice, pis à frère Gilbert pour qu'il avertisse le reste de la famille. Tu te charges d'Hubert et des autres. Je vais aller au presbytère tout de suite après souper, j'te redonne des nouvelles.

— Moi, dit mon mari, j'peux aller avertir votre père pis passer un bout de soirée avec lui, en attendant que quelqu'un vienne le rejoindre.

Nos deux autos se suivirent sur le chemin du retour, et le soleil continuait à briller. Silencieusement, je me demandais comment j'allais apprendre la nouvelle aux enfants. J'aurais aimé que mon mari reste avec moi et les enfants, mais je me sentais incapable de le lui dire, il m'est difficile de verbaliser mes attentes. Il me semblait entendre ma mère dire : « On quitte pas une maison en désordre, les lits pas faits avec de la vaisselle sale dans l'évier. Dieu a dit : "Je viendrai à vous comme un voleur." »

Seigneur ! Aidez-moi à accepter ce que je ne peux changer !

Les enfants nous attendaient, assis dans le bas de l'escalier. En me voyant, ils comprirent, mais le plus jeune, qui semblait refuser d'admettre le fait, me dit :

— Est-ce que c'est vrai que grand-maman est morte ? Les mauvaises nouvelles se répandent toujours trop vite.

— Oui, c'est vrai.

Je le serrai dans mes bras pour qu'il se reprenne un peu, mais moi, je n'arrivais plus à pleurer. Il me semblait que le temps s'était éternisé : en moins de cinq heures, deux événements s'étaient bousculés. Sans être superstitieuse, ma mère disait souvent qu'il y avait toujours un certain avertissement avant un drame, comme pour nous préparer. Entre son enfant et sa mère, le choix est inconcevable, mais le premier l'emportera toujours.

Après avoir parlé un peu avec les enfants, je fis mes téléphones. Ils devaient maintenant, tout comme moi, se faire à cette abrupte réalité. Mon bébé était assis bien droit sur le sofa, le deuxième de mes fils se berçait rapidement, semblant dire « Ne venez pas m'achaler ! », et les trois autres s'étaient retirés dans leur chambre. Chacun tentait à sa façon d'encaisser le drame. Je préparai un léger souper, il s'agissait surtout d'amener chacun à se retrouver assis autour de la table, histoire de resserrer la cellule familiale.

Ensuite, je traversai la rue pour aller au presbytère faire les arrangements pour le service funèbre. Je voulais pour maman le plus beau service religieux, le plus grandiose possible, avec diacre et sous-diacre. Ma mère aimait tellement les grandes cérémonies religieuses. Mais le prêtre me répondit que ça n'existait plus, on avait fait disparaître les inégalités d'un service à l'autre :

— Le coût du service est de 150 $.

Ce n'était pas la peine de discuter davantage. J'étais déçue. La soirée fut longue, très longue. J'examinais les vêtements que les enfants allaient porter. Je lavais. Je repassais. Je nettoyais ici et là. En fait, j'aidais le temps à passer en essayant de me retrouver dans cette brisure, et d'éloigner de moi de la culpabilité.

Je réalise à quel point je suis seule : j'étudie à l'extérieur depuis des années et je travaille auprès d'enfants. Je ne pouvais donc pas espérer voir arriver mes amies. Je sortais bien deux ou trois fois par année avec mon mari pour aller dans certaines soirées organisées. Mais ce n'était pas là que je pouvais me faire des amies, bien au contraire. Le fait de travailler jour et nuit va souvent chercher l'admiration chez la majorité des hommes, et un certain rejet chez bien des femmes. Pour plusieurs de mon âge ayant eu la chance d'étudier lorsqu'elles étaient adolescentes, j'apparaissais comme une femme libre ! Une femme dangereuse à une époque où les femmes dépendaient majoritairement de leur mari. Dans ces soirées, je me retrouvais souvent attablée seule avec un couple d'amis, car mon mari a toujours aimé être assis ou accoudé à un bar. J'avais l'impression qu'en parlant avec l'un et avec l'autre, il m'oubliait. Par politesse, certains hommes semblaient se relayer pour me faire danser. La plupart du temps, ils profitaient légèrement de la situation pour me chanter un peu la pomme :

— Ma femme nous regarde ! On dansera ensemble plus tard, ma femme commence à avoir les oreilles rouges !

— Fais danser ma femme ! Profites-en ! répétait mon mari à l'un et à l'autre.

J'avais parfois l'impression qu'il me troquait contre une bière, un cognac ou un café irlandais, et j'en souffrais. Il avait, selon ses dires, confiance en moi. J'ai préféré me retirer, et apprendre à être seule. Je n'ai pas choisi la solitude : je l'ai adoptée parce que je ne pouvais faire autrement !

Tout au long de ma première soirée de deuil, la seule personne qui vint me rendre visite fut l'une de mes belles-sœurs. Je lui ai toujours été reconnaissante pour son geste, et son amitié m'est toujours chère. J'avoue aujourd'hui qu'il est difficile de savoir quoi dire et faire avec nos endeuillés : nos multiples écorchés que la vie ne cesse de multiplier. Être là, tout simplement, sans tambour ni trompette, les écouter, découvrir le petit geste qui ensoleillera un coin de leur cœur, et respecter les silences.

Nos propriétaires se montrèrent de véritables amis par leurs multiples attentions et gestes lors de cette épreuve. Et même si on ne se voit plus souvent, Jeannine et Gaston occuperont toujours une place bien particulière dans ma tête et dans mon cœur.

J'avais vu ma mère en lutte *in extremis*, et il aurait fallu qu'on m'oblige à aller la voir afin que je puisse enlever de mon esprit l'horrible impression de souffrance toujours présente dans ma chair. Mais le médecin avait donné des ordres ! On accepte souvent trop facilement ce que les autres croient être le mieux pour soi ! Ceux qui ne l'ont pas vue se sont certes imaginé mille et une horreurs, mais son sourire et sa joie de vivre devraient cependant vite revenir. Mais moi, c'était son combat contre la mort, sa bruyante respiration, la certitude d'une conscience certaine, le spectre d'une douleur insupportable au regard que j'ai imaginés. Cela n'est rien, cependant, en comparaison avec sa réelle souffrance.

La première nuit fut longue et remplie de reniflements et de va-et-vient. Au matin, certains de mes enfants préférèrent aller à l'école jusqu'à l'heure du dîner. J'étais contente de leur décision, car j'avais besoin de me rendre sur le lieu du drame pour essayer de comprendre ce qui s'était réellement passé.

Sur place, je ramassai les morceaux de peau demeurés accrochés sur la broche de la clôture. Mon père m'ouvrit la porte de la maison, il souleva un rond du poêle à bois et je redonnai au feu les restes de celle qui m'avait donné la vie. Je fus reconnaissante envers mon père pour le respect de mon geste. C'est probablement pour cette raison que je n'ai jamais laissé mon esprit divaguer au point d'avoir envie de lui imputer la responsabilité de la mort de ma mère. De toute façon, mon père ne pouvait pas être responsable : il ne l'avait jamais été !

Ce jour-là, ma mère portait une longue robe bleue en polyester. Elle arborait aussi un gigantesque chapeau de plastique pour la protéger des rayons du soleil. Elle entra dans la maison vers 15 h pour téléphoner à son coiffeur, laissant par le fait même son feu à lui-même. À soixante-dix ans, elle trouve amusant de pouvoir dire qu'elle a un coiffeur ; en fait, il s'agit du professionnel qui coiffe sa perruque à l'occasion ! Depuis son accident cérébrovasculaire, elle ne peut plus faire son chignon comme auparavant, sa perruque lui permet donc de garder un peu de sa fierté.

— Monsieur Serge, c'est madame Martin, est-ce qu'on vous a bien dit que j'enverrais quelqu'un chercher ma perruque vendredi ?

— Oui ! Oui ! Elle va être prête ! Je vais vous faire un petit extra ! Vous allez aimer ça !

— Non ! Non ! Bien ordinaire, je vais juste voir mon bébé en Ontario pour sa fête samedi.

— Justement, c'est une bonne occasion !

Mon ami Serge étant un peu taquin, il s'amusa à la faire rire en lui faisant des propositions excentriques. Ce fut à notre connaissance la dernière personne à lui parler. Entre-temps, il y eut une forte bourrasque de vent. Deux professeurs de l'école où je travaillais remarquèrent en passant qu'une femme tentait d'empêcher un feu de trop s'étendre. Quelques minutes plus tard, un passant s'arrêta pour aviser que le feu était sur le point d'atteindre le poulailler. N'obtenant pas de réponse à la maison, il alla avertir un voisin. Les pompiers furent immédiatement demandés et, alors qu'on travaillait à éteindre le feu de tous bords tous côtés, mais surtout du côté du poulailler, une personne crut voir un animal brûlé dans le champ, et on réalisa qu'il s'agissait d'une femme.

Vers 16 h 40, je vis ma mère sur une civière pour la dernière fois de ma vie. La bourrasque de vent serait à la base de l'accident. Ma mère tenta probablement d'éteindre le feu qui s'éparpillait en le piétinant. Ce dernier a dû prendre par le bas de sa longue robe faite d'un tissu inflammable, pour se propager rapidement par la suite. La chaleur fit alors fondre et coller son chapeau sur sa tête et une partie de son visage et, ne pouvant plus se lever les bras pour s'en défaire, elle perdit totalement son champ de vision. La scène montrant ses lunettes et son mouchoir à une bonne distance l'un de l'autre laisse croire qu'elle essaya probablement d'atteindre un petit trou d'eau, mais qu'elle prit la direction inverse. Elle se prit finalement dans une vieille clôture près de la route 111, où une centaine de voitures à l'heure circulent régulièrement.

La famille se retrouva en après-midi devant une tombe fermée. Je pense qu'on n'est jamais prêts à accepter la mort, même en sachant que c'est la seule issue possible pour certaines personnes. Mais lorsqu'il s'agit d'un accident, c'est l'absurdité : un non-sens auquel on se doit pourtant de faire face. Et c'est probablement encore plus difficile dans une famille qui, sans être désunie, n'a que des liens affectifs débridés.

C'était au mois de mai…
Le mois où tant de fois l'amour avait été couronné.
Par une belle journée ensoleillée.
L'une des plus belles de ce mois de mai.
Un coup de vent a tout enflammé.
Seule, tu n'as pu y arriver.
Et devant une lutte acharnée.
Tu as fini par succomber.
Ce mercredi 17 mai.

Son service funèbre eut lieu trois jours plus tard, soit le jour de l'anniversaire de notre petite sœur, la dernière de ses enfants. Le manque d'éclat de la cérémonie religieuse fut à l'image des misères de sa vie et l'homélie, une allocution absente de chaleur. Ce ne fut malheureusement rien pour apaiser l'esprit en révolte des miens. Entre mourir dans un scénario progressif et s'éteindre aussi abruptement dans un tel accident, il y a tout un monde !

Après le service funèbre, l'aîné de ses frères nous avoua avoir des regrets de ne pas avoir pensé à nous offrir une aide financière pour le coût du service. Étant habitué à de grandioses cérémonies, il croyait que nous avions demandé le service le moins dispendieux, qui nous obligeait par surcroît à abandonner le corps de notre mère dans une charnière, sous prétexte d'un nouveau règlement paroissial.

⌣

— En plus de pas pouvoir la voir, la communauté nous r'fuse le droit de la conduire vers son dernier repos, ripostèrent son frère aîné et ses sœurs venus de Montréal pour lui dire adieu. C'est inconcevable ! Après avoir eu une vie de misère pis de solitude, voilà que c'est maintenant au tour de l'Église de prendre la relève avec ses étranges règlements. En tout cas, j'vous assure que des niaiseries de même, à Montréal, ça passerait pas !

— J'avoue, dit frère Gilbert, demeuré silencieux, que ça fait assez spécial ! Dans mon cas, c'est la première fois que je vois aussi peu de respect envers les défunts, pis des funérailles j'en ai vu bien des centaines ! Mais ça ne donne rien de parler, vaut mieux oublier. Le corps, c'est juste une enveloppe, pis là, est vide.

Même nous, résidants de la paroisse, ignorions cet écrit et ne tenions pas à devoir nous y soumettre. Mais les règlements sont faits pour être respectés, et toutes les insistances de mon frère aîné se butèrent à l'écho de leur indifférence.

— J'veux être là, c'est aussi simple que ça, pis j'comprends pas que vous le fassiez pas tout de suite !

— On fait plus de sépultures tout de suite, comme vous dites, après le service.

— Dites-moi à quelle heure vous allez le faire !

— On n'a pas à vous le dire, répondit le responsable.

— J'insiste, j'veux savoir à quelle heure vous allez l'enterrer.

— Probablement vers 19 h. On va vous téléphoner, lui dit-il pour arriver à s'en débarrasser.

La nuit tombait lorsqu'il reçut un téléphone pour lui dire qu'elle serait enterrée à 9 h le lendemain matin, et le responsable recommença son histoire :

— Astheure, les familles assistent pas aux enterrements !

— J'veux pas savoir comment ça se passe avec les autres familles, lui répéta mon frère. C'est ma mère, pis j'veux être là ! Vous comprenez ?

Le lendemain matin, il se leva vers 6 h pour aller à la salle d'eau et, en s'y dirigeant machinalement, alla jeter un coup d'œil à l'extérieur. Il vit alors passer un corbillard en direction du village. Le besoin terminé, il retourna au lit. Le sommeil ne revenant pas, il se releva et alla réveiller notre jeune frère. Après avoir pris un léger déjeuner, ils décidèrent de se rendre au cimetière sans attendre l'appel téléphonique. Au moment de monter dans la voiture, ils virent ce qui sembla être, pour mon frère aîné, le même corbillard qui revenait en sens inverse. Il était 7 h 15 à leur arrivée au cimetière, et le fossoyeur venait de terminer sa besogne…

Ce fut le début d'un autre cauchemar. Pourquoi l'avoir enterrée de si bonne heure un dimanche matin ? Nous étions au début des scandales de dépouillement de morts : changement de tombe, vol de bijoux. Ce sacrilège possible dans les grands centres pouvait-il avoir atteint notre région éloignée ? Les commentaires de l'un et de l'autre nous donnaient à croire que cela pouvait bien être possible ! Quelqu'un quelque part avait fait naître l'idée d'attendre le départ des familles avant d'enterrer les morts. Et un grand nombre de paroisses avaient trouvé cette idée bonne, dont celle de Makamik. Comme si cela n'était pas normal de conduire ceux qu'on aime vers leur dernière demeure.

La journée fut longue, très longue. Le plus jeune de mes frères voulait creuser, histoire d'être rassuré. Il y avait dans l'air quelque chose de burlesque ! C'est toujours simple de regarder les choses de l'extérieur et de porter un jugement rationnel, jusqu'au jour où l'on se retrouve au centre de l'événement.

Il fallait oublier nos doutes, revenir à la normale des choses autant que possible et reprendre le rythme de notre vie. Je me rattachais à l'idée que pour ma mère, le corps n'avait pas d'importance après la mort, et que l'esprit était au-dessus de toutes les supercheries humaines.

Le soir de l'enterrement, j'assistai à ma grande surprise à un certain dépouillement de la maison. Ceux qui doivent repartir, et bien d'autres, se mettent soudainement à manifester droits et désirs. Je fus estomaquée d'y assister. J'aurais aimé que l'on ne touche à rien dans la maison, et qu'on respecte l'ordre des choses. J'aurais voulu sentir un infini respect pour tout ce qu'elle avait touché, voire du temps entre la réalité et le futur.

Quelques jours plus tard, je cherchai des yeux le petit coquelicot rose et jaune que je lui avais donné le jour de la fête des Mères. Je ne le trouvai pas, et j'en conclus qu'elle devait le porter au moment de l'accident. Après la mort d'un être cher, on se rattache souvent à des petits détails pour les uns et à des espèces d'idioties pour les autres.

J'héritai, malgré moi, de son petit chien: il se précipita dans mon auto et il ne voulait plus en sortir. Petit cadeau dont personne ne voulait, et qui avait décidé de son propre gré de changer de foyer.